Miss ＊爱＋时光

爱上一个影子，好寂寞

深流 著

海峡出版发行集团
THE STRAITS PUBLISHING & DISTRIBUTING GROUP

海峡文艺出版社
Haixia Literature & Art Publishing House

图书在版编目（CIP）数据

爱上一个影子，好寂寞 / 深流著. —福州：海峡文艺出版社，2012.12
ISBN 978-7-80719-949-6

Ⅰ.①爱… Ⅱ.①深… Ⅲ.①自传体小说－中国－当代
Ⅳ.①I247.5

中国版本图书馆CIP数据核字（2012）第289145号

本书由鲜鲜文化事业有限公司授权在中国大陆（不含港澳台）地区出版发行中文简体字版，并保留一切权利。

爱上一个影子，好寂寞

作　者	深　流
总策划	贺鹏飞
策　划	陈绍敏
责任编辑	邱戊琴
特约编辑	李仁成
出版发行	海峡出版发行集团
	海峡文艺出版社
经　销	福建新华发行（集团）有限责任公司
社　址	福州市东水路76号14层　　邮编　350001
发行部	0591-87536797
印　刷	三河市祥达印装厂
印厂厂址	河北省三河市杨庄镇杨庄村　　邮编　065299
开　本	640毫米×960毫米　1/16
字　数	100千字
印　张	13.5
版　次	2013年3月　第1版
印　次	2013年3月　第1次印刷
书　号	ISBN 978-7-80719-949-6
定　价	23.80元

如发现印装质量问题，请寄承印厂调换

目　录

楔　子　　　　　　　　　　　　　　　　　　1

Chapter 1　紫衣女孩　　　　　　　　　　　3

Chapter 2　好心的俏丽仙女　　　　　　　14

Chapter 3　掠过我身处的森林　　　　　　36

Chapter 4　外文系女生　　　　　　　　　51

Chapter 5　川遥佳　　　　　　　　　　　65

Chapter 6　影子的变化　　　　　　　　　95

Chapter 7　这种事情是很讲求天分的　　113

Chapter 8　到底该往哪里去呢　　　　　141

Chapter 9　所有东西都染深了一层颜色　164

Chapter 10　正从云隙间将温暖投射过来　190

后　记　　　　　　　　　　　　　　　　207

楔　子

你好！

我想，我还是开门见山地说吧！我不久之前和我男朋友分手，可是……对于这一段感情，我还是想再努力看看……

真的很谢谢你的心意。看了你的信和文章之后，我有一种被重视的感动，就像被谁默默地守护与关心着。

我说得这么直接，是不想让你有希望或者是期待，但总觉得我自己在伤害人。如果用暧昧的语气或含糊不清的态度，或许我的罪恶感不会这么重，但是，我不想、也不应该用这样的方式去对待一个人的心意。

对于一个人的心意，即使不能给予对等的回应，我想，也不应该轻率以待才是。

如果我的直接让你不开心的话，真的很对不起，我无意让你难受……

坐在书桌前的我，耳朵听不见任何声音，窗外的夜虫鸣叫声、摩托车引擎声，全都被某种无形的东西隔开了，我只能听见自己发出的呼吸声。

手上拿着信纸，眼睛追逐着每个文字，想从那文字之间再汲取些什么，但很遗憾，已经没有多余的信息了。

翻到第二页之前，我想起了"她"，松了一口气之后，旋即一股罪恶感袭上心来。我究竟在做什么？好像早就已经知道了行动方案却还是要去尝试错误的人一样，将自己扔进了自己制造的两难境地之中。

信件传来的信息使得现在看起来还没那么糟，还能够踩刹车转回正确的方向去。

不过，对有些人来说，不是行动的结果才会造成问题，那行动发起的动机和经过，就已经足以被判有罪了。我一时找不到往未来思考的路径，只能陷入时间倒转的旋涡之中……

Chapter 1　紫衣女孩

过了这个暑假，我的大学生涯就要步入最后一个学年了。

最后一次暑假，我留在嘉义县民雄乡，留在有全台湾知名的"民雄鬼屋"和"民雄肉包"的嘉义县民雄乡。

白天念书，傍晚跑步。

日夜交替，而我在400米的跑道上一圈又一圈，重复看着同样的风景：草皮、路灯、建筑物……日子也不停地重复。

几乎每天绕操场跑10圈，4000米。

8道白色线条以优美的弧线将砖红色的跑道分成9道，弧线没有起点，也没有终点——哪里都可以是起点，哪里都可以是终点。

天空中有时候有月亮，有时候没有；有时候有星星，有时候没有；有时候有云，有时候没有；不下雨的时候跑道上有我，下雨的时候没有。

完成了今天的 4000 米，坐在跑道旁的绿色地板上，我脱下跑鞋，试着旋转左脚板，抚过脚弓上方那一块因为受伤而移位的骨头。从 3 月到现在，跑步已经没什么大碍，该是时候再回到羽毛球场上了。

跑道的最外圈有情侣在慢慢走着。

有些情侣手牵着手，也有不牵手的。

两个人之间的距离让人觉得有点刻意，彼此都保持着这个社会定下的社交礼仪，也许哪一方的心里正在想着今天的进展是多少？双方是不是够熟悉了？是不是可以约他（她）去看周末的电影？是不是可以进一步跟对方说些什么了？是不是哪一天也可以像其他情侣那样牵着手？甚至牵着手走完操场之后是不是可以再去吃个消夜？然后到谁的住处去……

"总要有谁先开口，不然再走几圈操场也只是一样回到原点而已。"

这样想着，脑中便会浮现紫衣女孩的身影。

是啊，最后一年了，再不开口，就只能以原地打转作结束。除了心中遗憾之外，什么也得不到。

换上干净的 T 恤，背起背袋离开田径场，天际的蓝以不被察觉的速度逐渐变深，一辆马自达从我眼前经过，柏油路上的枯叶被风卷起，落在人行道上。

我沿着人行道向上坡方向走，走进活动中心二楼的入口，在全家便利商店买了瓶鲜奶，倚着走廊边的栏杆，看着前方不远处的朱雀湖，似乎传来了天鹅的叫声。

在这校园占地面积大得不像话（不是夸饰）的校园里待了 3 年。记得刚开始还颇不习惯。由于学校所在地是山坡，所以各栋建筑物散布在山坡上，不只彼此之间有着落差，就连同一栋建筑物也会在不同的楼层各有出入口。

对我这个土包子来说，这是非常稀奇的。

活动中心三层楼都有出入口。社会科学院的前门在一楼，后门却在二楼；图书馆的大门在二楼，从两侧楼梯下去才会到达自习室以及停车场所在的一楼；其他的建筑物也有类似的情况。

不管怎样，世界上大多数的事情都一样，习惯就好了。

每天把摩托车停在校门口旁边的停车场，走过 25 米宽、90 米长的朱雀大桥。

桥下是名为"朱雀湖"的人工湖，里面养着身价最高的黑天鹅、次高的白天鹅以及数千元一只的鸭子，偶尔会看见白鹭鸶优美地掠过湖面，也有不知名的鸟类来此暂留。湖里面还有很多的鱼，当然水多的地方自然就有鱼。

走过朱雀大桥之后，紧邻的是活动中心，而文学院是首先耸立在眼前的教学楼建筑，与其相对的是社会科学院，我所就读的心理学系

就在其中。

校园内禁止摩托车通行（但是可以开汽车），所以大部分的学生是将摩托车停放在大门停车场之后，走路或者换骑自行车前往各学院上课。

管理学院、公共教室、理学院、教育学院、法学院、社会科学院二馆、工学院，这些建筑物都在距离校门口更远的地方。工学院旁边另外设立了一个停车场，让学生可以骑摩托车绕过学校外围，直接停在教室附近。

在午餐时间、课堂之间或是回家之前，我常到活动中心打发时间。

行政办公室不算在内，这里地下室和一楼有餐饮部、二楼有便利商店，出版中心更是跨二楼和三楼。

就是在这里，我遇见了紫衣女孩，从一开始的纯粹偶然相遇，不知怎么逐渐变成了盼望相遇。

我总是从活动中心三楼的门口进去，右转进到出版中心，看看最近有什么新出的书、杂志，或是有什么特价活动。

下到二楼之后是文具部，出去之后，隔壁是全家便利商店，这条走廊上经常展示的是各种社团的静态展览图。站在走廊上隔着绿色的栏杆，可以看见活动中心一楼的小小广场，那里是社团动态表演的场地。

就是我现在一手拿着鲜奶、一手倚着栏杆的这个地方，我遇见了紫衣女孩。

嗯，应该说在大三结束之前，我遇见她的地方几乎都是这里。

从大二下学期开始，3个学期过去。3个学期以来，我一共修了64个学分，不管是自己系里的必修课、外系的课，或是公共课程，我从来没有在任何课堂上见过她。

在这个大得要命的校园里，完全不曾在其他的地方巧遇，只在这条活动中心的二楼走廊上。

她总是一个人静静地在这条走廊上看着静态的展览或是一楼的表演。

总是一个人，披着长达腰际的直发，紫色的外套，紫色的包包，简单的牛仔裤与帆布鞋，没有化妆。

不是那种在人群中会马上被注意到的超级美女，只是一个朴素的女孩，一个不注意就会消失在人群中很难再找到的平凡类型，甚至要说在她周围有一点阴暗的气息也不为过。

每个人在每个学期中都会有因为课表以及活动行程所衍生出来的行动模式。在同一个学期中，常常会在同样的地方遇见同样的陌生人，可能对方也正好是这个时间吃午餐、正好这个时间没课、正好这个时间要回家。所以，在同一个学期中不断地在同样的地方遇见同样的陌生人，其实不算什么了不起的事情。

在我大二下学期看见她的时候，也是那样想的。

每个学期之中的陌生人不见得会一样，然而经过一个学期、两个

学期，我经常会在活动中心二楼的走廊遇见她——紫衣女孩。

简直就像某种前提条件存在之下才能形成的状况一样。

随着看见她的次数越来越多，我发现自己的心里面开始有某个地方麻麻的，视线也无法从她身上快速离开。

我开始想要知道她是念哪一个专业的？是学妹？同级？还是学姐？想要问她知不知道我们已经连续三个学期不断地巧遇了，会觉得这样很神奇吗？在这边看展览和表演是兴趣吗？还是打发时间？

我一次也没有开口，一次也没有上前。

在我大三下学期的时候，她的左脚受伤了，走起路来一跛一跛的。原本走路速度就不快的她，现在走起路来更是缓慢了。

脚为什么受伤了？扭伤吗？车祸吗？

还有，总是特立独行的她，身边的那个男生是谁？那个有时候跟她讲几句话就离开、有时又陪着她慢慢走的男生是谁？朋友吗？追求者吗？

不断累积的问号在我心中越积越多……

每一次在我旋转着因为打球受伤的左脚板做适度伸展的时候，总是会想起她，这脚伤原来还附加了一个提醒功能啊！提醒着我自己的软弱与被动，在球场上再怎么杀气凌厉、坚毅不倒，现实生活中就是有这么一个让我动弹不得的存在。

大三下学期结束了，大学生涯的最后一个暑假到来，我回到田径场上慢跑，不管跑了多久、跑得多累，起点都等于终点……

叹了一口气，捏扁手中的牛奶盒，正转身要往楼梯走去的时候，一个黑影迎面而来！这一撞让我退了两三步，听见短促的一声惊呼和瞥见散落一地的书，定睛一看，一个绑着马尾的女生正蹲在地上将散落的书本捡进怀里，我也赶紧过去帮忙。

"同学，不好意思，你有没有怎么样？"我将捡起的书递给她。

把五六本书抱在怀中的她，左手将散乱的一绺发丝掠至耳后，纤瘦修长的身形站定，收敛眼神中的慌乱，透出足以辉星映月的迷人光彩。

"我没事，对不起！我赶时间，不小心撞到你了。"她说。

"没关系。"我说。

"那……谢谢你。"

"不用谢。"

微笑点头之后，她往宿舍的方向去了，深棕色的马尾随着她急促的步伐不住地摇曳，消失在转角处。

背转过身，脚下似乎踩到了什么东西……是一条银色的幸运草手链，这该不会是刚刚那个女生的吧？

这下子也追赶不上，只好先留在身边，再找机会还她了。

在宿舍里，我看着日程表，外面传来众多不知名的夜虫鸣叫声，其中还掺杂了青蛙的叫声。我住的地方真的就是"田中间"！

房东在这片水泥地上盖了一区"ㄇ"形的学生宿舍楼，从"ㄇ"的缺口骑车进来，正对面那一排有四层楼，两侧的则为两层楼，一共八层，用"忠孝仁爱信义和平"来编号，我住在"平五"。据说这里一共有八十几间宿舍。

我的宿舍一出去就是面对着中间区域的停车场，可以说是非常开放的住宿环境，我通常都将宿舍的内门向内拉开靠墙，让里外的空气流通。

晚上将近10点，有人在停车场终于把吵死人的摩托车引擎熄火，啪嗒啪嗒的拖鞋声音响过走廊，大概是去买消夜回来的吧。

"快开学了。"

索尔拉了张椅子坐下。

"是啊，先将一些重要的事情写上去吧！"我打开抽屉，拿出笔袋中的自动铅笔。

趁着只修一门课的大四上学期，花一个月的时间将汽车驾照拿到手；星期二和星期四的早上10点15分到学校去上课；空闲的时候就上健身房，跑步，看书；最后，再回到羽毛球场上练球，见羽已经等我半年多了。

大致上是这样子吧！嗯，只能说是大致，因为这世界上有很多事情，不到最后，往往是不知道结果的。于是在做计划的同时，也别忘了提醒自己，随时保持一颗能够接下天外飞来事情的强壮心脏。

"你觉得这学期还会遇见紫衣女孩吗？"索尔一边说一边操控着鼠标，开启音乐播放程序，放了片 CD 进去。

"紫衣女孩啊……这学期还会遇到她吗？她左脚的伤好了吗？那时候她身边的护花使者究竟是谁呢？她还是习惯穿紫色外套吗？她到底有几种不同款式的紫色包包呢？"我几乎是喃喃自语地说着。

马修·连恩的音乐专辑《狼》在室内悠扬回荡，小提琴激越的音符让我想到陶醉的美丽提琴手摆动身躯的模样，背后束起的长马尾也随之舞动……长马尾！那个在走廊上匆促离去的苗条女孩，她留下的那条幸运草手链呢？

"你应该是塞进皮夹里了。"索尔说。

"对啊，差点忘了。"我从皮夹里拿出那条手链，幸运草的心形叶片中，水钻不时闪出暧昧的光芒。

"真没礼貌，好歹对方也是个美少女，美少女的东西你就这样随便塞进皮夹，真是糟蹋了。"

"这手链连接处的小圆圈断了。"

我眯起眼睛看清那断裂处。

"需要修理了，而且也需要保养，细微的地方都氧化变黑了。"

的确是，不过我对饰品一类的东西不是很了解，该拿去哪儿修理、保养，一无所知。只知道这是一条漂亮的手链，而我多少也该为它的损伤负一点责任，不知道那个女孩是不是很着急？

"回到正题吧，紫衣女孩这边。"

"这学期还会遇到她吗？谁知道呢。遇不遇见又有什么关系？那位护花使者说不定护花成功，现在正牵着紫衣女孩的小手在哪里逛街了呢！"我说。

"我闻到空气中有一股酸味！你吃醋啦？"索尔说。

"吃什么醋啦！该上床睡觉了，晚安！"

我把门锁上、关灯之后回到床上，将被子拉到下巴前，闭上眼睛，在黑暗之中步入另一层黑暗。

这学期会再遇见紫衣女孩吗？有这么神奇的缘分吗？

逐渐地，睡意就像海水涨潮一样，缓慢而确实地覆盖了我的脑海……

不寄出的信（1）

阿曦：

快要3个月了吧？和你分开已经这么久了吗？时间本身也许是绝对的，但对人类来说，可能是相对的吧。

如果不是亲手翻过日历，我实在无法确实掌握时间流逝的感觉。

不知道你过得怎么样？

加拿大是有趣的地方吗？天气冷吗？你已经为自己建立新的

生活圈了吗？有新的朋友吗？还会想到我吗？

再多的问号都无法听到你的回答了，因为已经说好了不是吗？分开了，不再见面地分开了。

即使是那样说过的事情，但我还是没有办法完全接受，也许我们应该保持联络的。

在这里写信，对象是你，却不会寄出去。

只是，如果不这样做的话，我不知道要怎么处理我的情绪。

我已经比较少哭了，渐渐地可以接受生命中不会有你的存在了，不过还需要一些时间吧，我想。

你如果再喜欢上别人，还是会用"喜欢紫色"这样孩子气的前提来做考量吗？我私心希望不要，希望这是能存在于我们记忆之中的专属颜色。

虽然你看不到，我还是希望你能爱惜自己的身体，少抽点烟。

小佳

Chapter 2　好心的俏丽仙女

时间进入 9 月，天气还很热，丝毫没有秋天的气息。

为了在早上 8 点到驾训班学开车，我让闹钟在早上 6 点半 morning call（叫早），连赖床时间都算进去之后，6 点 50 左右便顺利下床梳洗。

吃着昨天晚上回家之前在民雄火车站前的"阿裕面包坊"买的面包，一边看着晨间新闻。门外偶尔传来邻近楼友关门上锁、发动摩托车离开的声音，那让我想到一只只离开蜂巢的蜜蜂，各自飞到不知道什么地方去进行一天的劳动。

7 点半的时候我也成为那其中一只蜜蜂，从宿舍出发，经过民雄市区切入省道台一线，转入头桥地区到达"今生驾训班"。这驾训班的名字怎么像是拍婚纱卖喜饼的？

将摩托车停在驾训班入口旁的停车格内，到柜台去报到，柜台人员带着我去找教练。

教练穿着红色POLO衫、浅蓝色牛仔裤、白色球鞋，戴着一顶深色的棒球帽从休息室里面走出来，身高大约1.65米，年纪大约是三十出头吧！他的外表散发着活力，让人信心大增。

彼此确认身份之后就挑了一辆车坐进去，我先坐在副驾驶座。教练将车子像游鱼一般流畅地从停车区内倒车出来，一边问我："之前有学过开车吗？"

"完全没有。"我回答。

"嗯嗯，这样很好，没学过比较好教。"他边说边切换排挡。

"有没有学过有区别吗？"

"有啊！之前学过的人不一定跟我们这边的教法是一样的，这样教起来会很麻烦，学生会被自己以前学过的东西干扰。"

我听说过教授钢琴的人会因为学生有没有学过而有不同的收费差异，学过的收费比较高，未必是因为学过的学生比较高段所以收费高，而是因为要将之前学习所留下的习惯改掉需要多费心力的缘故。

后来我听说不只是弹钢琴，在别的领域也有这种情况，倒没想过开车也是。

"开手排车的重点基本上就是刹车和离合器的掌控，只要可以正确掌控，开车就没什么大问题了。离合器基本只在车子完全停住和切换挡速的时候需要踩住，其他时候都不用。

"左脚管离合器，右脚管刹车和油门，手当然就是管方向盘和排挡，还有手刹车，大概就是这样而已。直接开开看就知道了。"教练一连串说完，好像眼前有一张看不见的小抄似的。

我们交换位置，换我坐上驾驶座了。人生第一次坐在驾驶座，比我想象中来得窄了一些。

在了解了发动引擎、手刹车控制以及排挡之后，教练就带着我开始绕行练习场地最外围的路线，像在操场跑步一样，绕着同样的轨道前进。偶尔在教练的指示下完全停下来，然后放开刹车，再缓缓放开离合器让车子前进。

离合器放得太快会让车子熄火，"适当掌控"对于初学者来说并不是很容易的事情，感到慌乱也是在所难免的。不过教练倒是很有耐心而且亲切地继续指导，一个步骤接着一个步骤轮流说明。

熄火之后踩住离合器将排挡调回空挡，踩住刹车和离合器重新发动，发动之后切换到一挡，放开刹车，再慢慢放开离合器让车子前进……

几次之后渐渐可以减少熄火的频率了，绕着同样的轨道前进算是挺简单的事情，于是我开始一边开车一边和教练聊天。

"教练，我一直很好奇一个问题，为什么学手排车比学自排车便宜？手排车比较难,学会之后两种车都可以开,为什么不是比较贵？"

这个问题我真的纳闷了很久,从我高中知道驾训班的学费之后就一直存疑至今,总算有机会问一问官方说法。

"对我们驾训班来说,因为手排车相对不容易坏,而且就算坏了也比较好修,自排车就相反,所以学自排的会比较贵一点。"他说。

"原来是这样。"

和教练聊天,熄火了不知道几次、绕了场地不知道几圈之后,时间也接近 8 点 50 分了。

"好,那今天就练习到这儿吧！把车子慢慢开到那边,停在那辆车旁边。"教练指着另一辆教练车。

我缓缓将车子开过去停好之后熄火,结束了第一天的练习。

"谢谢教练,明天见。"

"明天见。"

离开驾训班之前,我好好地看了一下练习场地,早上因为是第一次来练习,被紧张又兴奋的心情弄得有点晕头转向。

现在才发现驾训班的场地挺大的,有各种练习区域,倒车入库、路边停车、圆环路线、S 形路线、红绿灯、上下坡、闪双黄灯、平交道、直线加速。除了正式考试的路线之外,在其他地方也规划出了可以重点练习的区块。

白色车身的教练车有些停在停车格里,有些正在场地内四处打转,让我怀念起小时候的汽车玩具，搭配有场地轨道、要在大片的地板上才能玩的那种。

从摩托车椅垫下拿出安全帽和口罩，有些人和我一样正准备要离开，也有人正从外面进来停好摩托车。大部分看起来都是学生，应该是要上9点开始的课吧！人数显然比8点的多，我想是因为早起不是一件多讨人喜欢的事情。

一部摩托车在邻近的停车格停好，是那个上次在活动中心遇到的……幸运草美少女！姑且这样叫她吧。她那纤细的身形和马尾，让我在她拿下安全帽和口罩之前就认出她来了。

上次遇见她已经是大约十天前的事情了，她还记得吗？

只见她匆匆地抓起一个银黑色提包，将安全帽和口罩塞进车厢之后，就往办公室走去了，一瞬间隔着太阳眼镜的眼神交会让我怀疑她已经忘记我了。但我想起了她的银色手链，我一直摆在宿舍里，没拿去修理，也没有保养。

"这个时候……她也是来学开车的吧？"

我灵机一动，这下子事情简单了，明天带着那手链来上课，9点的时候在这里等就可以还给她了。

离开驾训班之后，我骑车往学校去。

道路两旁的建筑物都是平房或两层楼的骑楼式建筑，柏油路上满是沙石车经过后所留下的黄尘细沙；离开头桥地区之后更是无际农田与杂草荒原交错呈现的原始风光。

　　差不多在9点15分到达学校，停车场的摩托车还不是很多，我找了比较接近校门口的位置停好车，转头看了一下正在兴建的新学生宿舍，背起侧背包往朱雀大桥走去。

　　虽然暑假的时候几乎天天都来学校，也几乎天天走过这朱雀大道到图书馆去看书，不过今天是开学日，感觉上还是有那么一点微妙的不同。大概是因为看到桥上有许多学生的关系吧！

　　"真的是开学了呀！学生还真多。"索尔在桥上跟我说。

　　"是啊！跟暑假的感觉不一样了，这样才有校园的感觉嘛！"

　　朱雀大桥上插着各式各样的旗子，旗座是固定在桥上的，旗子则随着不同活动而有所变动。

　　桥下是朱雀湖，碧绿色的湖面周围种有树木、摆有供人休息的长椅，有几株柳树的柳枝已经垂到湖面上了，那个样子让我想起了长颈鹿喝水的模样；再往外便是急上坡的草地，也设有阶梯可以上到桥面这一层，这之间的落差有3层楼。

　　天空中有几朵白云像是被钉住一样，变成蓝天的装饰。

　　"今天早上的景色真美！如果有个油画大师在桥上把这一切转移到画布上头，那画面有湖、有桥、有各式建筑、有远方嘉南平原的风光，怎么说都是典型的美丽风景画！"索尔好像在感叹什么似的自言自语着。

"在学校待这么久了，没看过画家，倒是看过不少拍照的人。学校的摄影社社员，校外爱摄影的人，还有一些喜欢到处拍照的人。我去年刚买数码相机的时候，就喜欢拿着相机到处拍，学校的景色也拍了不少。"

"不过算不上是专业！"

"是啊！就连业余的也称不上吧！只是喜欢到处拍拍新鲜的东西罢了，没有进一步钻研与摄影相关的知识、技术之类的欲望。"我说。

"也许是没遇到契机吧！某个人或某个时机之类的。"

"大概吧！喜欢看摄影展，却没有自己是不是也可以进展到那种地步的想法。前阵子学校图书馆有展出摄影比赛的作品，以学校范围内的景物为主题，很棒！"

"是啊！第一名的作品，是从积极路那边吧，大概是学校超市那边往上坡方向拍。枯黄的落叶洒满柏油路面，分隔岛和路旁的树木都差不多光秃秃了，感觉是很普通的一个景色，可是却让人一直想再看仔细一点。很美的作品。"

"真的很美，自己虽然对摄影的专业知识没有多大了解，也不清楚什么叫作好的摄影作品，不过对我们这些外行人来说，作品有没有最直接的感动才是关键。"

"说到那次的摄影展，你记得那些光彩炫目的作品吗？"

"当然记得！利用夜间的灯光搭配摄影的技术，也许再加上一些后期制作的能力，做出华丽非凡的作品，第一眼看到的时候就觉得'哇！好厉害！这么漂亮是怎么弄的'，那些光影在画面上形成好像异次元的场景一样。"

"是啊！可是那些作品却都只是佳作而已，没有进入前三名。刚开始觉得很奇怪，这么华丽的作品应该很难做出来吧！为什么反而比不上那些看似单纯的照片呢？

"不过看着看着，好像逐渐可以了解了，技术层面也许凭借足够好的设备和技术就可以达到，但是良好的构图和画面蕴含的深意却是要花更多心力去发掘的，是比较深层、看似简单却真正困难的事情。

"就像那张第一名的照片一样，枯树，落叶，阴天，柏油路，每天有那么多人走过的路，却未必每个人都能抓住那个时间点的感觉。"

走着走着，在桥上停了下来。

"第二名也很棒，就是在这桥上拍的吧！

"往宿舍那边拍过去，黄昏的时刻，湖畔有一些人，夕阳刚好落到湖畔旁边那座小拱桥下方的半圆形空间内，再往下就要消失不见了，那个瞬间真是美妙，可以作为摄影代名词'化瞬间为永恒'的典型。"索尔看着那个方向。

"除了那个时间点之外，湖畔上有来来往往的人，而那座小拱桥上正好站着一对父子，背对镜头看着辽阔的远方。

"大概是初中年纪的少年，父子两人好像悠闲地在聊些什么的样子。

我那时候觉得很感动，觉得那幅作品也有资格成为第一名的，那里面包含的不只是构图和技巧，还有温度。我非常喜欢那幅作品。"

许多学生从大门的方向往学校里面走，从走路的速度可以分辨出哪些人是快要迟到的。我的课在 10 点 15 分开始，还早，于是决定先去活动中心转转。

开学了，大学的最后一年，活动中心让我产生第一联想的不是别的，就是紫衣女孩。

"你就像那第一名的摄影作品，那样平凡、单纯，一种容易让人忽略的平淡存在；不浓妆艳抹，不花枝招展，不是利用炫目的技巧制造出来的佳作，而是在平淡之中散发出无与伦比的魅力，什么都无法取代。"

如果可以的话，我想对她这么说。

我还会再遇到她吗？走进活动中心三楼的入口，往右边走向出版中心，自动门缓缓向左边滑开，眼前先出现的是各样的杂志；再往里面走，各种书籍分门别类地在眼前展开。由于是学校里面的出版中心，所以很多书柜的分类带有以院系为准的味道。

出版中心里面的人口结构和暑假时有明显的不同，学生的比例明显增多了，大家穿着各式各样的夏装在出版中心闲晃。

这么早的时间，大概也跟我一样是在等上课的吧。

出版中心里有 5 张木桌子，上面铺了玻璃垫，各自配有 4 张木头椅子，我找了张没人的桌子坐了下来。

"没看见紫衣女孩。"索尔转头看着出版中心里面的人，想在其中找到紫衣女孩的身影，很可惜没有找到。

"不在也是正常的吧，人生哪有那么顺利。而且以前看见她都是在楼下的走廊啊，很少在这里。"我打开背包，拿出村上春树的《1973年的弹珠玩具》来读。

"如果她有课要上的话，进来这里很正常啊！现在楼下的走廊上又没有展览，一楼也没有表演。要等上课的话，进出版中心吹冷气不是很好吗？而且紫衣女孩就是一副跟阳光很不合拍的样子。

"你想想，以前不管在什么时候遇到她，她永远都穿着外套，不管天气是怎么样都穿着外套，好像那外套有什么高科技，会自动调节温度一样。一定是她宁愿热晕也不愿意被晒黑吧！这样的女孩子，要打发时间的话，进室内吹冷气不是第一选择吗？"

"说的也是。以前几乎都是在二楼走廊看到她，永远穿着紫色外套，只有几次在出版中心里面看到她把外套脱下来，皮肤白得不可思议，大概跟晒黑这件事情有世仇吧！"

之后我专心读着《1973年的弹珠玩具》，10点10分的时候收拾东西离开。走出版中心的时候，室外的热空气迎面扑了上来，令人不禁有一种"现在真的是9月吗"的疑惑。

迎面而来的除了热空气之外，还有一个人，外文系女生。

无袖的亮黄色上衣搭配着牛仔短裙，轻轻甩动及肩的长发，像是

要把室外的热气抖落似的，附在耳垂上的精致耳环像是抓准了机会，反射出一闪即逝的光芒。

擦身而过，我走出出版中心，她走进出版中心。

见羽！我拿出手机准备给他打电话，回转过身看着外文系女生的背影，想了一下："这么早，他大概还没起床吧！还是不要吵醒他好了。"于是又默默地将手机收进侧背包的口袋中。

"组织行为"的第一次上课，教授发给每个人一张 A4 纸大小的授课大纲，大致说明一下这个学期的授课进度以及考试的预定日期之后，还不到 11 点就下课了。

接近中午的阳光非常刺眼，不过此时太阳在我的左后方，所以对我不太有影响。而从大门口跟我相对而行的人，那些人的眉头都因为强烈的阳光而微微皱了起来，同时也眯起了眼睛。

好像是因为瞳孔的缩小程度有限，为了不让过量的阳光进入眼睛烧掉视网膜，所以不得不连眼皮都来帮忙减少阳光可以进入瞳孔的量。

女孩们依然是夏天的装扮，不可或缺的就是遮蔽杀人紫外线的遮阳伞。

每次当我在学校里面走着，看着一把一把的遮阳伞，都会有一种身处在观光胜地而不是大学校园的错觉。

到了停车场，进入学校的摩托车比出去的要多，我戴上了口罩和安全帽之后发动摩托车，离开学校。

回到宿舍之后，先去收了晾在晒衣场的衣服，将摆在桌上的幸运草手链收进皮夹里，出门去"循迹"。

"循迹"是离我的住处不远的一间茶食店，橘底黑字的招牌，小小的茶食店，里面全部只有 7 张桌子、22 张椅子。在我大二那一年，循迹在这里开张，我没事就往这里跑，已经和老板娘很熟了。老板娘很能和学生打成一片，大家都叫她阿姨。

我到店里面几乎都是坐在离门口最近的 1 号桌，背对门口。

"今天这么早啊？"阿姨还在准备着今天的营业。

"是啊，第一天上课，很早就下课了。"我帮忙把反摆在桌上的椅子拿下来。

"今天一样吃意大利面和绿茶吗？"阿姨在柜台张罗其他的东西。

"嗯，一样。"

"这先给你，今天早上在家里无聊先做了。"阿姨将今天的《苹果日报》递给我。

《苹果日报》的填字游戏，我来这里的乐趣之一是把阿姨没做完的部分完成，看着剩下的空格，我在题目之中沉思，一边等待我的午餐。

"大四了吗？"阿姨在柜台里面一边装绿茶一边问我。

"是啊。"我说。

"有什么不一样的感觉吗？"

"其实还好，暑假都往学校跑，开学也只修一门课，没什么特别的感觉。"

阿姨把绿茶和锅烧意大利面放到我桌上之后说："感觉真快！你都已经大四了，我在这边开店也一年多了。"

"是啊！再过不久说不定就不知不觉毕业了！"

"时间真的是……在过的时候很慢，回想起来又很快。"

门把上的风铃声响起，接近中午的时间，陆续进来了一些客人。

解决了填字游戏，吃面的同时，我的眼睛盯着摆在前面的报纸，体育版，娱乐版，把报纸上觉得有趣的地方看过之后，又继续把《1973年的弹珠玩具》读完。

午后时分，人有点昏昏欲睡，将八卦杂志推到角落去，我把皮夹里的幸运草手链拿出来摆在桌上端详。确实是留下了时间流逝的痕迹，对于那个女孩来说，是不是还在找它呢？这对她来说是不是有什么特殊意义呢？

风铃声在背后响起，温暖的微风随之进入。

"惠真？你今天不用上课吗？"柜台那边传来阿姨的声音。

转头去看，一个留着短发……高中女生吧，没记错的话那是当地女中的校服。

"当然要啊，我还穿着校服耶，中午身体不舒服就请假回家睡觉啦，醒来就好了。"那个女生说。

"你啊，我看是得了不想上课的病吧。"阿姨说。

"哎呀！阿姨怎么这么了解我呢？那应该也知道我要吃什么吧？"

"这个时间，水果松饼和榛果奶茶喽。你先找个位子坐吧！"

"谢谢阿姨！"

这调皮的女生让我有几分熟悉的感觉，却一时之间想不起来在哪儿见过，没想到她一把拉开我对面的椅子就那样坐下了。

"这里，没人坐吧？里面只剩 4 个人的座位，一个人不好意思占那么多位子，你不介意吧？"她微笑着对我说。

看着我狐疑的表情，她竟然双手交叉托着下巴，模仿起我苦恼的样子。

"眉头这里……"她指着自己的眉间，"一直这样皱着对身体不好。让好心的俏丽仙女替你解答吧！我们常在这里见面啊，不过之前我留长头发，到这里，想起来了吗？"她指着自己的……胸口，还真让人不知道眼睛要往哪里看。

"啊，我想起来了，你上高中啦？暑假之前还是初中生的。"我说。

"是啊！你一定还在想说，这么吵的女生应该要有印象的，怎么想不起来呢？对吧？"

的确是。

"以前来买东西就常看见你一个人在这里吃饭、看书，你知道吗？一个人吃饭会消化不良！"她说。

"这我没听说过。"

"我的初中生物老师说过，你的生物老师没告诉你吗？"

是你的生物老师管太多了吧，我心想。

"啊！松饼来了！你要不要？分一些给你。"她问我。

"不用了，谢谢。"我翻开杂志。

"嗯……真难相处啊……有人在吗？"她敲着桌子对我说。

我将眼神从杂志移到她的脸上，这女孩子还真是特别。

"陪我聊天嘛！你……该不会是在害羞吧？突然有可爱的高中女生跟你搭讪，不习惯？"

"你都这样到处跟人家聊天的吗？"我又合上杂志。

"怎么可能？我也是会挑的啊！"

"那谢谢你，很荣幸被你挑上。"我说。

"嗯，不客气啦！你大学念什么系啊？"

"心理系，大四了。"

"心理系？"她突然眼神一亮，"那你知道我在想什么吗？"

"虽然我也很想，但老实说并不知道。"这个问题到底被问几次了？

"那心理系都学些什么啊？"

"嗯……各种心理学啊。"

她两眼盯着我看，不过和刚刚眼神一亮的看法完全不同。到底在想什么？这个女生。

"你……是头脑不太好还是不会跟女生讲话啊？"

"什么意思？我常跟自己讲话啊！"

"跟自己讲话……"她翻了翻白眼，"你不觉得你刚刚的回答跟没有回答是一样的吗？"

"呃……"的确，她说得没错，不过我一直都是这样的，从没被说过有什么问题，难道以前的人都把我当成傻瓜看待吗？

"我是外行人，你要讲得让我能听懂啊，不然话题怎么继续呢？"

"嗯……心理学嘛……大致上是在研究生物外在行为和内在心理之间关联性的一种科学。当然研究人类是最重要的部分，一个人做了什么、为什么会这样做；或者反过来说，要实施些什么方法让人做出某些行为。"

"那是不是说，就像是看到生病的外在症状就想办法去找原因，然后吃药打针就可以让病消失不见？"

"差不多是那个意思。"我说。

"啊，听起来很有趣嘛！嗯，这是什么？"

她拿起我放在桌上的幸运草手链。

"你女朋友的？"她问。

"不是啦，是捡到的……不……也不算……总之我知道是谁掉的。"实在难以说明。

"路上东西不能乱捡耶，不然会被抓去当鬼新郎！尤其是用红包袋

装着的东西。这是我妈说的。"她细细地看着那条手链。

还真是幸好我不是乱捡的。

"我帮你拿去修理吧,这边都断了,还有,也该保养了吧,黑黑脏脏的地方好多!放心,我初中的好朋友家里开了家饰品店,修好了再拿来还你。"

"不用啦,如果我遇到东西的主人再还她就好。"

不理会我的发言,她径自从摆在一旁的手提袋中拿出一个小巧的夹链袋,把手链放进去。

"会让你这样留在身边,一定是重要的朋友或是漂亮女生掉的吧,你如果原封不动地还回去怎么能加分呢?当然是要还一条闪闪发亮的幸运草啊!该不是小气怕花钱吧?"她把夹链袋放进手提袋内。

"好吧,那就先谢谢你啦。"这女生不太听人家在讲什么,我放弃争辩。

和这个叫作曹惠真……好心又俏丽的仙女(她一再强调)聊天相当有趣,不太理会别人的发言,脑袋大部分只转着自己想讲的话,她好像不太知道害羞是什么东西。

大概过了快一个小时,惠真突然看着门外,跟我说:"喂!快看!正妹!"

我一转头,与风铃声一并传来的身影……幸运草美少女!

早上才在驾训班见到,现在又遇到了,手链!

"那条手链是她的。"我跟惠真说。

"是啊,那你不要讲,嘘……"她竖起食指小声地说。

什么跟什么?我就是要现在还她啊,什么不要讲?

"嗨!姐姐!"惠真开口向幸运草美少女打招呼。

惠真向我眨了一下眼睛,我完全猜不透她要做什么。幸运草美少女转过身来,迟疑地看着惠真。

"刚刚是你叫我吗?"她说。

"对啊!"惠真说着,将隔壁桌没人坐的椅子拉了过来,"坐这儿吧!"

"谢谢。"

3个人分坐在桌子的3边,面面相觑。

"你认识他吗?"惠真先开口。

这场面怎么弄得好像在相亲?

幸运草美少女看着我,说真的,我从没看过这么大又明亮……简直在少女漫画里才看得见的那种眼睛,好像什么秘密都会被她看穿似的。

"一两个星期前吧,"我开口,"在学校活动中心二楼,出版中心前面的走廊上,我不小心撞到你,那时候你抱着很多书,你还记得吗?"

"啊!我想起来了!"她笑了,"那算是我撞到你吧,对不起啊,那时候赶时间,没注意。"

惠真用看好戏的表情一言不发地坐在我对面微笑。

"对了！你那时候有没有捡到一条银色的手链？"

"幸运草的吗？"

"对！在你那儿吗？"

"惠真，东西拿出来还人家吧。"我对惠真说。

"更正！是好心的俏丽仙女！"她说。

我一脸无奈，幸运草美少女倒是笑得很开心："她是你妹妹吗？"

妹妹？我有这种妹妹我就要被整死了吧。

"他没有那么好的运气啦！"这鬼灵精话倒是抢得挺快的，"手链在我这里，他拜托我帮忙拿去修理和保养，说这是一个漂亮到城墙都会倒下来的美少女的东西，他要趁这个机会邀功啦！"

我拜托你的……什么跟什么……明明就是你自己自作主张……还讲成那样，我都不知道脸要往哪儿摆了。

"修理？"幸运草美少女说。

"对啊，断掉了你不知道吗？"惠真说。

"我不知道，那天我回宿舍把一堆书都放好才发现手腕上的手链不见了，回去也没找到。我自己拿去修就好了啦，不好意思麻烦你。"

"啊，你太客气了，漂亮姐姐，我已经拿去修理了，所以现在也没办法还你哟。"

这小鬼，说谎的表情也太自然了吧！我这下子倒是很好奇她到底想做什么了。

"对了，可不可以要你的名字和手机号码？这样才能还你手链。"惠真说。

"好啊。"幸运草美少女笑着回应，拿起一旁的便条纸和铅笔。

惠真又对我眨了眨眼，还带一抹邪气的微笑。

"写好了，给你。"

惠真接过纸条："哇！姐姐你的姓好酷！名字也好好听，人又漂亮。"

"好啦，那就麻烦你喽，我要先走了。"说完，她对我笑了笑，到柜台去结账，提着外带的饮料走了。

"你在做什么啦？"我对惠真说。

"名字和电话都帮你要到了，下次请我吃饭，不过分吧！"她把便条纸移过来给我。

"手链修好了，我会放在阿姨那里，反正你常来，就找阿姨拿吧！我的电话不随便给别人的，所以就这样吧，我也要回家了，再见喽！"

也不等我回应，这小鬼就收好东西跟阿姨说了声再见然后离开了，留下那张留有幸运草美少女电话的纸条，我要是打电话去……简直像是两人一组的诈骗集团嘛……

深夜梦中，我走在拥挤的街道上，有一个穿着紫色外套的女生在

我眼前大约 10 米的地方一直往前走。

我跟在她的后面，加快脚步，却始终无法超越她。

她是紫衣女孩吗？她走路的速度怎么会这么快？她的脚伤好了吗？周围所有的人都和我们反方向而行。

突然间，那些人的脸全都变成了紫衣女孩的脸，我吓了一跳，停下来看着她们，她们也都停下来盯着我看，没有表情。

大概有 10 秒钟的时间，随着沉默所带来的压力让我觉得像是脖子被掐住了一样，就在我快要受不了的时候，全部的"紫衣女孩"一起对着我冷冷地说道："叛徒！"

不寄出的信（2）

阿曦：

这个学期我变成大四的学生了，没有修什么课，所以空闲的时间很多。时间一多我就会想起你，你应该已经适应新生活了吧？

昨天我看你留下来的照片，你记得吗？有一张叫作"凌晨 5 点的民雄车站"，你取了这么一个直接的名字，被我笑说没有想象力的时候还理直气壮地反驳我呢！

那时候你为了这张照片，好几天半夜不睡觉，带着相机去等待你所谓的"镜头下神圣的一瞬间"。

对于成果，你当然是很开心的，但是我一直没有跟你说的是，那无人的小车站对我来说有点悲伤、有些恐怖感，像是被遗弃在世界角落的某个违禁场所一般，如果有谁不小心闯进去了，说不定会发生不好的事情，而且就那样再也回不来了也说不定。

加拿大的景色和台湾的有什么不一样吗？有让你背起摄影器材兴奋得到处跑吗？我想起以前，总是可以在美丽的景色前，看见你眼睛里闪烁的光芒。不过我想，和台湾比起来，要在加拿大等待那"镜头下神圣的一瞬间"大概需要再多穿几件衣服吧。

我们以前去过好多地方，所以现在我一个人去那些地方的时候，多少会有点感伤，大概是太习惯有你在身边了。

台湾还是很热，加拿大呢？我想到枫叶。

加拿大的国旗上的图案是枫叶吧？世界上还有其他将植物图案摆在国旗上的国家吗？我想到有的国家用太阳，有的用星星，植物的……想不到。

虽然我很自私地想象你想起我的时候应该是感伤的，但我还是希望你能快乐地生活。

小佳

Chapter 3　掠过我身处的森林

从 9 月中旬开学到 9 月下旬，身为学生的感觉一点一点地慢慢恢复了，好像在沙滩上抓起沙子装进瓶子之中，渐渐感受到瓶子变重的确实又稳定的感觉。

并不是因为我开始进行在每堂课之间匆忙地赶课、做笔记、吃饭之类的一个标准学生应该有的行动，而是因为看到学校里面的学生越来越多，系里的同学也一个又一个地互相说着"嗨！好久不见"，健身房和操场上都可以看见学生在运动的身影。

我和见羽去打了几次球，脚伤的确恢复得差不多了。

自己处在这样的环境之下，身为学生的感觉才又逐渐变得充实。

这样说起来，如果没有周围线索的提醒与暗示，自己的立场似乎就不容易坚强起来的样子。

我每天早上看《早安新闻》，不知道为什么，竟然觉得女主播一天比一天漂亮，男主播也一天比一天帅气，好像哪一天他们在播报新闻之前如果先宣布两个人的婚讯也不奇怪的感觉。

关掉电视之后去学开车，该去上课的时候去上课，偶尔打打羽毛球，健身房和跑步也都在维持着，到循迹去享受悠闲的气氛，背包里面也随时带着想看的书和随时可以记录心情或是灵感的笔记本，晚上到"阿裕面包坊"去买隔天当早餐吃的面包。

大四上学期的每日行程已经有渐渐稳定下来的感觉，不过一直没看到紫衣女孩。

我最不希望的，就是这样的情况保持稳定。

应该是哪里弄错了吧？从大二下学期到大三下学期结束为止，我一直都有看见她啊！怎么这学期开始半个月了，连一次都没见到她？是因为大四了没什么课的关系吗？她看起来的确不是一个没有课就会跑到学校去闲晃的类型，和我不一样。

就在我真正开始在意她的时候，她就消失了吗？这简直是那个什么墨菲定理嘛！简直就是不知何处的谁所开的恶意玩笑。

9 月 27 日，星期二。

学开车已经两个星期了，考试会使用到的驾驶技巧都已经教过一轮，现在每天针对不同的重点做练习。

S形进退和上坡起步是我觉得最难的两个部分，在做这两个练习的时候都是小心翼翼，常常突然发现自己的呼吸停止了，马上又重新恢复呼吸。

这两周以来也都没见到幸运草美少女，虽然惠真还没将手链还我，但我想至少在离开驾训班之前可以跟她打声招呼的，难道她那天早上9点不是来学开车的吗？

下午到循迹去打发时间，到了4点半，我收拾好东西正准备离开。

"嗨！"一个充满朝气的声音。

曹惠真！

我看了看手表："这个时间，穿着高中制服的学生不应该在外面乱晃吧！你妈没告诉你这个吗？"

"没有啊！我妈说身体不舒服就要休息，健康第一！喏，这个修好了，还你。"

灿光阴影像在银色手链上互相追逐似的，随着轻轻摇晃而不停改变角度。

"好漂亮，原来保养过后是这样！"我说。

"这样拿去还人家才有加分的效果啊！你电话打了没？"惠真说。

"还没。"

"还没？"她提高了音量，"我辛辛苦苦帮你要到的电话你还没打？你是木头吗？"

辛辛苦苦？怎么我看起来是轻松随意？

"我又没拿着手链，而且她是把手机号码给你，不是给我，我打去很奇怪吧。"我说。

"算了！"她摇摇头，"你的悟性太差，仙女累了，懒得跟你解释了，手链拿去，自己想办法还她吧！"

"谢谢你啦！对了，修手链的钱是多少？"

"不用啦，不是什么麻烦的东西，我朋友也没跟我拿钱。你还给那个漂亮姐姐之后再请我吃饭就好。"

"好吧，那我先走了，再见。"

惠真的眼神和短发随时都充满了朝气，就像在树丛间穿梭的松鼠一样充满活力，蹦蹦跳跳地走到柜台边跟阿姨聊了起来，真是个奇妙的小女生。

跟阿姨说了声再见，我拉开门走到停在门口的摩托车旁，将安全帽和口罩拿出来，把背袋塞进去……

"今天又得了不想上课的病啦！"阿姨对惠真说。

"没几堂课嘛，我这么聪明，自己念就补回来了啦。"惠真说。

身上快没钱了，为了在跑步之后走回活动中心一楼的自动取款机

取钱，然后顺路到大门口骑车，所以今天没把摩托车停在田径场附近的停车场。

把车停在大门停车场之后，走过朱雀大桥，在活动中心前左转下坡，从积极路往田径场走去。

这样一段路大约需要 10 分钟，走在积极路上的人行道，田径场像是一个盆地一样出现在右前下方不远处。

我在将近 5 点的时候到达田径场。

天空的颜色很漂亮，温度也刚好，跑步的人理所当然也很多。

跑道上的人大多是学生，也有教授。今天不是周末，所以校外人士非常少，没有人带着小朋友来这里玩耍。

天空是一点一点慢慢变深的蓝色，淡淡的云像是被谁遗留的丝巾一样披在上面，一边被夕阳染成橘红色，另一边则是带有灰色的白。

我将提袋摆在司令台边的座位旁，从脖子到脚踝做过一轮伸展运动之后，系好鞋带，按下左手腕上电子表的计时器，踏上最外圈的第九道。

在规律的呼吸和步伐之中，耳朵只听得见自己的呼吸声和风声。

脑中的思绪在跑步的时候非常活泼，在不同的事件之中跳跃思考，我想起了 9 月中旬的那个梦，那无数个紫衣女孩对着我冷冷地说了一句"叛徒"的那个梦。

那究竟代表什么？

　　那无数个紫衣女孩的梦，是潜意识的表现，还是一般常说的日有所思，夜有所梦？又或者是最悬疑的预言梦？

　　不管我再怎么想，结果还是像猫追着自己的尾巴跑一样，总是回到原点。

　　跑完步之后，到更衣室换上干净的衣服，背起提袋离开田径场。

　　沿着积极路向上走，慢慢接近活动中心，这是一段不算轻松的上坡。

　　和索尔聊过的摄影比赛第一名的作品，就是在这里拍的，我在人行道上的一个消火栓旁站定稍微思考一下。平凡的景色，第一名的作品；平凡的紫衣女孩，令人难忘的存在。

　　"那个梦究竟是怎么回事啊？"跟在我身边的索尔问我。

　　"我也不知道啊！"

　　"真可怕，虽然说可以梦到紫衣女孩是值得高兴的事情，平常情况下可以称之为美梦，带着微笑醒来。不过，变成那种情境，怎么样都笑不出来了。"

　　"好像千镜回廊的幻觉似的，四周都是镜子，倒影无限延伸下去了。"我苦笑。

　　"这么说好了，那会不会是你对自己的一种谴责，而那种谴责化成紫衣女孩的形式在梦中表现出来。"索尔认真了起来。

　　"什么意思？"

　　"因为你啊，从大二下学期开始就一直看着人家，到头来什么都没

有做。明明想去接近、想去认识，却还是一步都没有跨出去。一年多以来，总是跟自己说什么看看就好啦，不必勉强认识啦！说不定对方会觉得这样很奇怪，把自己当成变态！

"但是不管怎么说，结论都是：你想认识她！

"你越是否认，这样的情绪就在你的心中越是累积！后来又认识了那个幸运草美少女，完全没有努力的情况之下电话就到手了，手链的事情一直悬在心上，不可能不想到她那迷人的眼神和身影吧！

"种种冲突的情绪就在梦中这个最没有防卫的地方挣脱意识的控制，表现出来。"

"分析得真好啊！索尔大师。可是你别忘了，关于梦可以有很多种解释，说穿了几乎都是想象力的穿凿附会啊。"我说。

"真理也好，想象力也好，不管怎样，正视你的内心吧！"

天色已经暗了下来，走进活动中心一楼，前方左手边有一个空间亮着灯，那里面有布满一整面墙的邮政信箱和两部自动提款机。

将近6点，排队取钱的人已经排到门口了。

我接在队伍的最后面，和前面的人隔开一点距离。

就在这个时候，从我面前走过的人——紫衣女孩！

是她！真的是她！紫衣女孩！她从我的面前走过，从我的左边与我擦身而过，彼此对看了短暂的一两秒钟。

在那交错的时光之流中，秒与秒之间好像被拉长了一样，我在那拉长的时间里丧失了呼吸，视网膜被她的身影完全占据，听觉也好像被剥夺了，只有一种硬硬的、冷冷的某种规律敲击声进入我的耳中，第一时间内我并没有反应过来那是什么。

她从我的身边经过之后，我的心中冒出了很多的疑问，有些地方不一样了，到底是什么地方不一样了呢？那疑问形成了一股无形的力量逼得我再次去确认，我转头去寻找她的踪迹。

还没走远，她坐在广场旁的石椅上，在微暗黄昏空间下的她，彻底颠覆了我心中那个紫衣女孩的形象！

曾经又长又直的头发现在变成是长卷发披散在身后，今天的她不是穿着以往利落的牛仔裤和帆布鞋，而是优雅飘逸的长裙和高跟鞋，原来，那令我感到异常的冰冷敲击声是高跟鞋制造出来的。

这是我第一次听见她的鞋跟发出非常具有存在感的声音，从我身旁走过。

我对那新的形象有点不能适应，好像一早醒来的影子发现自己的主人变了一个模样，影子却无法确实接合上去的脱离感。

我站在原地将紫衣女孩的新形象一点一点地刻进脑海里面去，渐渐地感觉体内的违和感像朝阳下的雾一样缓缓地消散。

我在那里一动也不动地看着她，发现她也正从那暗处看着我。不知道是哪儿来的勇气，也许是对紫衣女孩新形象的莫名不满，我与她的视线对上，正面交锋！一秒、两秒、三秒……

　　她像是突然被惊扰的猫一样全身动了一下，拉开放在腿上的紫色提包，拿出手机。

　　我这才大大地吐了一口气，发现刚刚的自己竟然在不知不觉中全身僵硬，忘了呼吸。

　　"同学，可以往前几步吗？"排在我后面的人突然对我说，并且指了指我身后。

　　这才发现我距离前面排队的人已经有两三个人的空间了，于是赶紧往前走了几步。回头之后，因为被白色的墙壁挡住，无法直接看到紫衣女孩了。

　　领了钱，我快步离开，但是紫衣女孩已经不在那里了。我沿着那石椅旁边的阶梯上到二楼，到全家便利商店去买牛奶。

　　在朱雀大桥上，往大门停车场走去，我的脑中还在想紫衣女孩。

　　没有表情的紫衣女孩还是没有表情，一切都变了，只剩下这一点没有改变。

　　没有人是不会改变的呀！何况只是着装变了而已，说不定她这学期决定走不同的装扮路线，从简单率性变为成熟优雅，这也没什么不好的吧！

　　"说不定她今天是特别打扮，要去约会的！"索尔说。

　　"会吗？"我虽然想到她可能去约会，却不得不对这种看法产生动摇。

"你不觉得奇怪吗？那样的打扮也太特殊了吧！

"就算是改变装扮风格，也不会有人平常就穿着长裙在路上走吧！现在是 9 月耶！再怎么说也太热了点，而且还穿上了平常没看过的高跟鞋。从帆布鞋一口气进展到高跟鞋，这在生物学上简直可以说是突变而不是进化。"

"这么说起来也挺有道理的。"我把喝完的牛奶盒从两侧压扁。

"我猜啊！她坐在那里是在等人，也许是等电话吧！后来那个电话说不定就是约会对方的来电！"索尔越说越起劲儿。

"如果是，你猜会是谁啊？"

"你这问题未免太蠢了，我怎么会知道啊！我又不认识她，对于她的交友情况可以说是完全不清楚，要说是谁都有可能啊！"

"会不会是上个学期……你记得吧？那时候紫衣女孩的脚一跛一跛的啊，不是有一个男生常常出现在她身边吗？会不会是他啊？"

"有可能。不过，看紫衣女孩那样的打扮，我会觉得对方应该是那种开名贵轿车，亲切地帮女生开门的绅士！而上学期那个出现在她身边的男生，和你差不多，看起来都是没什么钱的普通大学生而已。"

"说不定那个男生深藏不露啊！其实家里衣柜一拉开全都是崭新的上等西装，车库铁卷门一升起来，出现的是全新的名贵轿车。"

"你以为他是超人吗？衣柜拉开全是超人装，干脆再对着手表叫一

声'伙计！'然后霹雳车就会说：'没问题，老哥！'开到面前来。"索尔哼起了小时候我很爱看的《霹雳游侠》的主题音乐。

"超人坐什么霹雳车啊！多此一举。"

"对啊！自己飞好像比较快。哎呀！不管怎样，再怎么猜也不知道紫衣女孩究竟是为什么这样精心打扮啦！与其这样东猜西猜，不如问问你自己，到底什么时候要跟她说话啊？

"新的学期，又遇到她了，这绝对不只是巧合或偶然，是缘分！是上天制造给你的机会。3个学期了你都没有行动，这个学期上天还网开一面再给你一次机会，总该好好把握了吧！"索尔说。

帮别人加油总是很容易，"去做就对啦！不用怕啦！失败了又怎么样呢？冲冲看再说啦！"可是一旦事情落到自己身上的时候，患得患失的心态却又马上绑住双脚动弹不得，鼓励别人的慷慨激昂马上就被一连串的"可是"给打了回来。

离开停车场，我骑车到学校对面的"大吃"去吃晚餐。

学校对面有一个区域，其中散布了各式各样的饮食业者，在晚餐到消夜的时间是学生饮食的主要去处。大家将那里简称为"大吃"。

晚餐之后，骑车回家的路上，脑中还全都是紫衣女孩的影子。

以前的印象、今天的样子……她现在是不是正在哪里与谁共进晚餐呢？表现出各种我不曾看过的生动表情与谁共进着晚餐呢？

一路上，呼啸而过的风取代了其他的声音，但是并没有赶走我的思绪。

为什么那样的女孩会令我心动呢？我并不认识她，只是凑巧在校园中见过几面，连话都没说过一句。这样的人天天都有不是吗？看过却不认识，男的女的，再平凡不过的现象。

这女孩长得也很平凡，正因为这样我才纳闷。

不是特别出众的样貌，大概 1.60 米、40 公斤吧，瘦瘦的身材，这样的女孩到处都是啊！

一年多以来，总是会有凑巧遇见的机会，她总是穿着紫色的外套，简单的打扮，牛仔裤、帆布鞋、又长又直的头发，没有多余又不切实际的装饰。总是一个人，在出版中心随处看看，或在活动中心二楼没有表情地看着一楼的表演。

在我的印象中，酷酷的，没有表情的女生。

也有几次比较例外的情形，见她将外套脱下来，皮肤白皙到一种让人忍不住想叫她赶紧穿上外套，别晒到太阳的绝对白皙；只有一次听见她的声音，普普通通的那种好听的女生的声音。

为什么这样的女孩会令我心动呢？没有吸引人的打扮，没有吸引人的笑容，却真正地撼动了我内在那座森林。

今天傍晚见到她，迎面而来，彼此对视了一下，其实都知道对方吧！

从那眼神分辨得出来。外形有点改变，头发烫卷了，第一次听见她的鞋跟发出非常具有存在感的声音。

还在排队领钱的我、坐在活动中心石椅上的她，眼神交会3秒，没有表情，还是没有表情。但那就像秋风一样，微微地掠过我身处的森林，初时轻到甚至没有风的触感，猛然转身、抬头，竟整片翠绿转为橙黄！落叶已埋至脚踝！整个心被确实地震撼了！

最终，勇气缺席，幻想继续……

深夜里，我在网络日志上记录了一些关于紫衣女孩的事情及自己的心情，这是我第一次在网络日志上提到她，我想要借着这样的方式整理自己对她的感觉。

我是一个必须借文字排列来处理混乱感觉的人，紫衣女孩今天给我的冲击实在太大，不这样做的话，心情恐怕无法安定下来。

但是，我却发现紫衣女孩的形象并没有因为写成了文章就变得比较安定，反而更加狂乱地在我思绪中乱窜！以前的印象、今天的模样，未知的、可能的……

我想看见她的各种模样、想赞赏她的各种装扮、想品味她的各种表情、想……什么时候我的愿望可以达成呢？也许应该先问的是，什么时候，我能鼓起勇气跨出第一步呢？

台灯旁静静躺着的是那个小巧的夹链袋，幸运草手链反射出夺目的光，令人无法忽视。翻开手机的通讯录……找个时间把手链还她吧……想起她，就让我想到她的迷人光彩。

还在发呆的时候手机突然响了起来，吓我一跳！

"嘿！还活着吗？"好友见羽在电话那头说。

"真遗憾，还没死啊。"我说。

"脚还好吧？"

"好得很！再打几次球，感觉就回来了啦！"

"大四不必再随队练球了，我们反而要更努力啊！"

"那当然。"

"说好的，明年3月的校际邀请赛和之后的大专杯不能再缺席了！最后一年了！"

"没问题，把今年没拿的奖杯拿回来！"

"后天下午有没有空？"见羽问我。

"星期四……有啊，中午就没课了。"

"那下午5点在循迹见面吧，我这次回老家有个惊人的发现！"

"发现什么？"

"当然是卖个关子，星期四再说啊！记得活到那时候啊！"

"好人不长命，祸害遗千年。我应该比你稍微短命一点点。"我说。

"嗯……那大约是三千岁吧，够长了。好啦，星期四见，拜！"

不寄出的信（3）

阿曦：

过两天就要考汽车驾照了。想当初，学开车也是为了让自己忙一点、不要胡思乱想，不知不觉中一个月就这样过去了。希望能一次过关。

其默出车祸了，骨折，右腿上了石膏，现在必须靠轮椅才能行动，还好有琪蓉在照顾他。

我搞不懂为什么你们男生都喜欢骑快车呢？女生其实并不会因为这样就更喜欢你们啊，不小心出了车祸还要麻烦别人来照顾不是吗？最糟的是你们都一样是说了不听、长不大的小孩。

以前你也是这样，直到在省道上出了那次小车祸害我脚受伤，跛了好一阵子，之后你才稍微收敛一点。真的是该收敛一点，不要嘴巴上讲着"知道了"，却还是骑得很快。

男生真的是很奇怪的生物，明明很幼稚却又爱装成熟。希望你和其默都可以真的变成熟一点。

小佳

Chapter 4　外文系女生

　　两天后，星期四的上午9点，秋天的阳光像患有多动症一样散发着热力，头桥的街道镀上一层随太阳上升而逐渐透明的橙黄色。

　　刚结束今天的练习，和教练一起下了车之后往门口办公室的方向走，停车区的摩托车比往常多，还有人陆陆续续从外面骑车进来。

　　"今天怎么这么多人？"我问教练。

　　"那些是上一期的学员，刚刚他们先去考笔试，等一下要在这边路考。你那个笔试的题目无聊的时候也翻一翻吧，虽然还有两个礼拜才换你们这一期的。"戴上安全帽正要骑车离开，这时候门口陆续有摩托车进入，却有一个身影缓步走入，那……竟然是紫衣女孩！

微醺的空气中没有风，而她没有笑容，像猫一样走来。屋檐上的猫用自身的冷抵抗阳光，她却给人一种似乎靠近她就可以凉快一点的感觉，一种冷酷的美。

冷美人？请不要用这么粗俗的类别名称将她归类，她的存在是绝对超越那个名词所包含的意义的。

"像猫一样的紫衣女孩"，天底下大概只有我这样认为吧。

秋天的一个星期四的上午9点，像猫一样的紫衣女孩。

"嘿！你今天是来考驾照的吗？"我把车停在她身边这样对她说。

"是啊！其实我们常常遇到对吧？"她终于露出笑容了，简直可以融掉整个南极冰雪的笑容呀！

"你一会儿要到学校去吗？等你考完之后我可以载你。"

"好啊，谢谢你！"她说。

好了，自我满足到此为止。应该是谁载她来考试的吧？

"你先去考试，我到附近吃早餐看报纸，结束后你再打给我吧。"骑着摩托车的男生对她说。

"嗯！要帮我祈祷一次就过关啊！等一下帮我买早餐，我要吃……"

紫衣女孩露出像是书桌台灯那样非常有对象性的笑容，而我不是那个对象，摩托车才是。

一想到这里，淡蓝色的悲剧性色调就弥漫了我的脑海。

下午茶的时间，我坐在循迹靠里面4人座的位置，店内客人很少，正是我所喜欢的悠闲气氛。

八卦杂志里全是名人的感情新闻，仔细想一想，世界上到底有多少人在关心别人的感情？究竟都是抱着怎样的心态在看的？

这种杂志在一年之后，结构、文体、笔法几乎都没什么改变，只是里面的角色可能换掉而已，真的这么有趣吗？不过换个角度来看，好像很了不起的国际情势、国家大事或是社会新闻的版面……其实也差不多吧……

清脆的风铃声传来，隔壁桌收拾东西正准备离开的3个女生转头之后纷纷露出兴奋的表情在窃窃私语。我轻轻一笑，合上杂志，抽起铅笔和一张桌边的菜单放在对面，迎接我那天生就散发着明星特质的好友。

"还好你还活着。"他坐下之后，给了邻桌少女们一个微笑。

"当然，三千年还没到啊，更何况，我死了就换你了，这样天下少女岂不是少了一个可以魂牵梦萦的对象。"

"哎，出现在太多人的梦中，我很累的啊，先点个东西吃，补充一下体力。"

见羽拿着菜单到柜台去跟阿姨点餐，走到门口的女孩们还在转头偷看，哧哧笑着。

余见羽，我们从高中二年级开始同班，也从那时候就在羽毛球校队中搭档，征战四方到现在。他老爸以前是羽毛球选手，他也身手矫健，只是不愿意升格为选手，宁可将这当成是兴趣，也不参加体育保送升学。

大学一年级的时候我们经常一起到宿舍顶楼的自习室念书，在自习室外的露天空间喝饮料、看星星、聊天；也在半夜睡不着的时候一起到宿舍一楼的贩卖机买罐沙士，然后边逛校园边聊天。

身高1.84米，修长结实的身材，标准的羽毛球选手；而在球场外，简直就像热血少年漫画中走出来的运动明星一样。

"给你看。"

点完餐回到座位，他从外套内侧口袋中拿出一张纸条丢到我面前。

"新的情书？"我将对折的纸条打开。

你仿佛云间穿梭的龙，在场上流畅迅速地移动；凌空而起之后更像是无情的长鞭，在空中撕裂空气，随炸裂声响疾驰而去的白影，眨眼之间就让对手绝望……

"这次写纸条的女生是武侠片看太多吗？"我没继续往下看就把纸条还他。

"还不错啊，你不觉得吗？比起一开头只会说'你打球的样子好帅！我想认识你'来得有趣多了。"他把纸条收进口袋里。

"那你有跟她联络吗？后面不是留了电话？"我问。

"怎么可能？我怎么可以背叛外文系女生呢？说到这个我才想起来，我拜托你，如果你下次再看到外文系女生，一定要打电话给我，不要再像开学那天一样了。"

开学那天我在出版中心门口看见外文系女生，本来要打电话给见羽，但是最后作罢。

"我还以为是什么重要的事情咧！"

"这很重要啊！"

"那天早上，我看时间那么早，想着你应该还在睡觉啊，就没打去把你吵醒啦！"

"就算吵醒也要打来啊！为了一睹佳人芳颜，再怎么样我也会飞奔而至！"

"好啦！我以后会记得。"

"我是认真的，这讲很多次了吧！"

"知道了知道了……"我笑着说。

一讲到外文系女生，这家伙就从明星变成粉丝了。

如果说紫衣女孩是我不敢跨出的那一步，那么外文系女生就是见羽挣扎许久的梦，比我更久，从大一就开始了。

在这世界上的每个人都各自怀抱着自己的热情在冲刺，也都不得不面对自己的脆弱在生存。

在"这里"的热情，有时候并不是可以轻而易举地就移转到"那里"

的，并不是说一句"你能够这么持续不懈地去慢跑，把那种毅力转化成决心拿去跟紫衣女孩搭讪不就好了吗？"就行的。

见羽在羽毛球场上可以不到最后一秒绝不停止脚步，可是在面对外文系女生的时候，就和我面对紫衣女孩时差不了多少。

我们将这称之为"初学者的反手底线"，也就是攻之必破的命门。

闲聊一阵，提到早上遇见紫衣女孩的事情。

"结果你还是没有跟她说话？"见羽隔着眼镜问我。

"是啊！"我说。

"哎呀！真是太可惜了。这么巧的机会，你应该去跟她要个电话什么的啊！再这样下去不是办法啦！"见羽说。

"还好意思说我，你的外文系女生呢？从大一就看到现在耶！电话呢？"

"你这是'以彼之道，还施彼身'啊！好样的！"

"好说了。"

"不过我比你好一点，来！今天的重头戏登场。"见羽得意起来。

他从一旁的大背包里面拿出一个巨大的绿色方形硬壳。

"高中的毕业纪念册？"我吃惊地说，"你有病啊？从老家把这东西抱来学校？"

"看了你就知道！"

"该不会是……怎么可能？"

看他把那本厚重的毕业纪念册从书壳里拿出来翻开，停留在三年级三班。

"你看这个！"他指着一张团体照。

我看着他手指的那张团体照，人数很多，虽然不是很清楚，但他指的那个人的确是外文系女生。

"外文系女生？"我大感惊讶。

再往后翻了几页，出现的是附上每个人名字的个人照。

"真的是她，你怎么会发现这个？"

"回老家无聊拿出来翻的，也不知道为什么就看到了，应该是天意吧。"

"居然有这么巧的事情，竟然跟我们是同一所高中毕业的！以前完全没印象看过这个人，这个名字我也一点印象都没有。"我看着那张个人照和那下面的名字。

"应该是因为楼层的关系吧！我们的教室在五楼，她的教室在二楼，我们平常根本不会在那边活动，就算在校园内擦身而过也不会有印象吧。还没完……"

我看着他从书壳内拿出了一本绿色的小本精装册子。

"通讯录！她家的电话和地址……"我看着他翻页。

"没错，在这里！"见羽一边说，一边将通讯录翻到三年级三班的位置。

纯白的纸上将每个学生的名字、地址以及家里的电话一一罗列出来。见羽正用食指指着外文系女生的资料。

"那你打过去了？"我问。

"当然！"

"真的？"我瞪大眼睛看着他。

"没有……"他微笑。

"去……干吗不打？"

"打去要跟她说什么？"

"我怎么知道。不然你跟她说：'同学，我刚刚发现一件好巧的事情！那就是我们以前念同一所高中，现在又念同一所大学！真的好巧，对吧？可以约你出来吃个饭吗？'"

"靠！好烂！没有高明一点的说法吗？"见羽抱怨。

"哼！不是我要骄傲，我告诉你，我最不会的就是搭讪了。"

"那还有什么好骄傲的！"

"不会搭讪、不敢搭讪，这到了某种境界之后也是可以拿来骄傲的。"

"那我看我们可以一起骄傲了。"

"是啊！说简单一点就是……"

"就是什么？"

"就是没种啊！"

"还真是无奈。"

"是啊。"我说。

"算了啦！又没什么了不起的事情要说。既然不认识对方，如果打电话过去只为了听人家的声音，这样跟变态岂不是一样了，我才不想成为所谓的'苍蝇'呢！"见羽将通讯录慢慢地放回书壳里面。

"你应该说'蜜蜂'比较好一点。"

"什么意思？"

"苍蝇绕着大便转，蜜蜂绕着花儿飞，两种一样吵、一样烦，不过……"

"好了，我知道了。就算我不是蜜蜂，外文系女生也一定是花，不是大便。"

"就是这个意思。"

"后来我还是忍不住骑车去找了那个地址，不过我可不是要进行什么变态式的跟踪或监视之类的行为，只是一种不得不去证实自己伟大发现的冲动而已，你知道吗？"

"然后呢？依然是你的反手底线啊。外文系女生，依然只是外文系女生。"我浇他冷水。

"你也差不多吧！话说回来，听你提紫衣女孩提这么久了，从大二下学期到现在都快要大学最后一个学期了，她到底长什么样子我还没看过呢！"见羽把饮料杯上的塑胶封膜撕开，把冰块倒出来吃，这是他的嗜好之一。

"说起来也真是有点神奇，紫衣女孩的事情，我并没有把它当成是心里的小秘密一样偷偷隐藏起来。虽还不至于到处宣扬，但是和朋友聊天的时候，就像跟你这样聊天的时候，有时候也会提到啊！所以知道这件事情的人并非完全没有……

"但是除了我自己以外，真的没有第二个人知道我口中的紫衣女孩长什么样子。每次我遇到她的时候，旁边都没有听我提起过紫衣女孩的人。"

"还真是神秘啊！而且你不是说从来没在大吃看过她吗？"见羽一边说，一边从嘴里发出咔嚓咔嚓的声音。

"对啊！真的很奇怪，竟然一次都没有在大吃看过她，难道她都不在那边吃饭吗？"

"可能是觉得那边不卫生吧，有些人吃东西很挑的，可能都在学校里面吃或是跑去民雄市区吃吧，要不然就是……头桥！"

"你不是说今天早上在头桥看到她吗？会不会她根本就住在头桥那边，除了上学之外，其他的活动范围都在那附近，那她今天早上走路去驾训班路考，也就说得通了吧。"

"这样说起来也是有道理，难怪从来不曾看她在大吃出现过。要说是为了健康，消夜时间不出现也就罢了，连晚餐时间也都没看过，确实奇怪。"

"等我一下。"见羽拿着空杯子去跟阿姨要了一杯冰块，回到位置上，咔嚓咔嚓地继续吃。

"不过这样猜测下去也没有什么结果，搞不好她根本不住那里，今天早上她真的是让谁载去考试的。"我说。

"也对啦！再怎么想都是多余的，知道答案了又怎样呢？"

"好啦！不谈紫衣女孩了。明天来练球应该没问题吧？你可不要跟我说你要去头桥那边游荡等她出现啊！"

"拜托！我又不是'蜜蜂'，也不是变态啊。与其那样傻傻地乱晃，不如赶紧把球感找回来比较实际。"

一夜过去，头桥街上的阳光依旧散发着热力，天空是一片干净的浅蓝。

8点50分，跟教练说了再见之后，我骑车在附近绕来绕去，明明知道这样很蠢，却又想着说不定紫衣女孩会再次出现在这附近，从8点50分到9点20分，当然，没有看见她的身影。

一个在骑楼下洗拖把的阿婆用奇怪的眼神看着东张西望的我，连水桶里的水漫出来了都没发觉。她大概注意我很久了吧？

"这个年轻人一直在这边绕来绕去，是不是有什么不良企图？"说不定阿婆心里面正这样想。

我放弃继续这种无意义的行为，离开。

在学校里也都没遇到她。

"今天早上那样真丢脸。"

我和见羽练完球之后，在大吃吃晚餐。

"可以体会我去找外文系女生她家地址的心情了吧。我看，你就从明天开始，天天早上 8 点去那附近站岗，一定可以等到她的，守株待兔也是一种方法呀！"

"昨天你不是才跟我说不要做这种傻事吗？我周一到周五要到驾训班上课耶！怎么可能 8 点去那边站岗，而且就算周六周日不用上课，天天去那边等也好像白痴一样，"我停了一下，"还很像变态！"我想起今天早上那个阿婆。

"也对啦！像我跑去找外文系女生她家的时候，找到的时候是很开心，不过马上发现自己好像变态一样，恶心！"

"可以理解。"我用汤匙挖了一口虾仁炒饭。

"话说回来，今天打球的感觉还不错。"

"没错，球感好很多了，步法移位的感觉也逐渐醒过来了。"

"大四了，为了今年没拿到的男双奖杯，接下来要更努力一点了！"见羽握紧了左拳，下决心似的说出这句。

"对外文系女生也要更努力一点了，嗯！"我在见羽慷慨激昂的时候，插了这么一句。

"呃……这饮料挺好喝的啊！喝完了再去要冰块来咬。"

"转移话题转得太生硬了吧！哈哈！"

离开大吃已经是晚上将近 11 点了。

洗了澡，在书桌前发呆，窗外传来规律的虫鸣声。

书桌上的电子表在宁静的套房中发出了短短的"嘀嘀"两声，9 月份悄悄地离开，10 月份也无声地接了上来。

遗留在过去的东西已经回不来了，那之中包含了我们没能好好把握的任何可能性，而谁也不知道那些可能性是否会就此不再出现。

没收以往没能把握住的可能性，也许是上天作为惩罚世人的一种手段吧！"既然给了你那么多次都不懂得把握，那好吧！不给你了。"上天这样说着，将可能性从世人眼前收进口袋。

不寄出的信（4）

阿曦：

昨天有点迟到，不过还好笔试和路考都顺利过关了，今天去驾训班柜台领了驾照，这算是我送给自己的一个生日礼物吧。

想起以前你在那边学开车的时候，总是会跟我分享有趣的事情。

你说有一次差点把驾训班里面的树给撞倒了！我听了替你捏

把冷汗，你却是哈哈大笑，说教练的脸变得有多难看。

　　你的乐观是吸引我的地方，但那无所谓的态度却也常令我不知该生气还是该笑。

　　你的新朋友应该都很喜欢你吧？有你这样少根筋的朋友，再怎么严肃的场合都会轻松下来。

　　头桥再过去就到嘉义市了，我还没有勇气能够一个人到兰潭去，但我想那是绝对有必要去的，只是我还需要一点时间做好心理准备。

　　不知道今天的月亮是什么样子？加拿大看到的月亮也一样吗？

小佳

Chapter 5　川遥佳

10 月的第一个早晨，我在睡梦中度过，当然没有特地跑去头桥那边期待紫衣女孩的出现。

中午过后，回过神才发现阳光消失了，浅蓝的天空不知何时被灰白的云给覆盖住，流动的热空气也似乎凝滞了。

气象新闻播报着台风接近的消息，虽然不会有太大影响，但是……之类的提醒。

傍晚的田径场上依然到处都是人，除了学生、教授之外，还有许多家庭。

大人带着小朋友和家里的宠物来田径场享受天伦之乐，小朋友在跑道上或是中间的草皮上追逐。

在小朋友的心中，一定觉得自己是跑得最快、最厉害的人吧！他们不怕跌倒、不怕失败，甚至不知道什么是羞愧的感觉，所以没有什么可以挡在他们面前。

而随着年纪渐长，我们学会谦虚，学会闪躲伤害，学会避免被笑，学会避免被别人觉得怎么样，学会去在乎别人的眼光和看法；我们的行为举止越来越符合社会规范，我们多多少少都害怕脱离常规，害怕在自己所属的团体中失去安心的感觉。

要完全不在乎别人的眼光很难，然而最可怕的，却是自己揣测的别人眼光。

"如果我这样做，别人会怎么想？如果那样做，别人又会怎么想？"旁人的一个眼神、一个举动，就会让自己产生无限的猜想。

内心对于外界的诠释与猜想人人各有不同，我很了解自己悲观的内心，这样的模式让我对许多事情裹足不前，不敢踏出第一步，总是害怕着心中不好的猜想会应验。

如果跟紫衣女孩说话，她会不会白我一眼？写信给她，她会不会当场撕掉？之后是不是会看到我就躲开？

知道与突破之间的距离有时候是非常远的，在这跑道上一圈又一圈绕着的我，怀抱着自己的软弱在生活着。

星期一离开驾训班之后，那个在路边骑楼下洗拖把的阿婆像是复制、贴上似的，重复着我在上个星期五看到的动作，也许她每天的这个时间都在那里洗拖把吧！只是我以前没注意到。

然而，紫衣女孩还是没有出现。

紫衣女孩犹如惊鸿一瞥地出现，阿婆洗拖把却是常态性的行为，这两者如果可以交换那该有多好。

接近中午，我走在去图书馆的路上，高大的紫荆花树在宽广的步道两旁往前延伸。

天空的乌云从周末以来就不曾散去，现在却难得有阳光穿过枝叶的间隙，在地面洒下随风变动的不规则光点。一个留着短发的女生骑着自行车从我左后方往前骑去；从喷水池那边迎面而来的是班上的同学，她给了我一个出版中心里面常常被买来装礼物的提袋。

"生日快乐！"

她将提袋给我的时候同时说了一句。

对啊！昨天是我的生日，我都忘了。

"这个袋子里面的东西，是班上几个同学一起送你的。"

"谢谢啦！"我说。

"那就这样啦！卡片慢慢看，礼物慢慢拆啊！再见喽！"她挥挥手，往活动中心走去。

我在图书馆五楼找了个周遭没人的位置坐下，把提袋里的东西一一拿出来，有很多人一起写下祝福的大张卡片，还有各种礼物，其中有一盒以"情趣"为主题的各种形状的巧克力……这种恶趣味一定是见羽的主意，真想让那些迷恋他的少女看看他拿着这玩意儿结账时的模样。

昨天是我的生日，在我满 22 岁的这一天我在做什么呢？

再怎么想都没有什么了不起的事情，只是一个平淡无奇的普通星期天罢了。

因为台风接近的影响，时不时下着细雨的天空一派阴沉，我在循迹度过了大半天的时间，没有去跑步，也没有去健身房，星期天不必去驾训班上课，所以没去头桥，学校没课，所以也没去出版中心，理所当然地没见到紫衣女孩。

紫衣女孩当然也没有突然打开循迹的大门，手上捧着生日蛋糕对我说："生日快乐！"

坐在图书馆内，看着落地窗外灰蒙蒙的天空和不知道什么时候会干的地板，刚刚难得出现的阳光已经不知道在什么时候被谁没收了。

"有秋天的感觉了呀！"我在心里想着，没想到今年的秋天是由一个来得有点晚的台风揭开了序幕。

在图书馆内恍恍惚惚地睡着了……模糊的梦中，我和一个女孩子在像是在一片草地的地方不知道寻找什么，那个女孩子朝我跑来，原来是那个鬼灵精怪的高中女生惠真。

"我找不到啦，明明在你那边啊！这边都只有三叶的，四叶的被你藏起来了吧？"她说。

四叶的，什么四叶的……我摸摸自己的口袋……幸运草！

带着钝钝的感觉醒来，几点了？睁开眼睛，窗外灰蒙蒙的天空实在没有一点时间流逝的真实感。看看手表，5 点多了，这应该是傍晚而不是凌晨的 5 点多吧……头脑好像还在另一个世界似的。

伸了个大大的懒腰，突然惊觉我对面坐着一个不知道什么时候来的女生，被我的动作吓了一跳，我也吓了一跳！幸运草美少女……川遥佳！

我的桌上散布着笔记本、自动铅笔、行事历、随笔集《兰格汉斯岛的午后》、玄怪小说《沙门空海之唐国鬼宴》、装着卡片和礼物的提袋，还有那盒巧克力，上面摆着一个模仿保险套包装的巧克力。

如果我是对面的女生，看到一个桌上摆着这些东西的男生，心里会想到什么呢？尤其那保险套还真是逼真啊！

她对我微微一笑之后，视线回到书本上，也不时转头在笔记本上抄抄写写。

深棕色的长卷发绑成马尾，像是高贵的丝巾一般披在左肩往心口而下，随着她细微的动作在不同的角度反射出简单、高雅又带有端庄气质的光。

像是家世良好又懂得适可而止的女孩，身上没有复杂多余的矫饰或是太过随便的举止。

无袖的白衬衫上有细细的紫色线条、微皱的设计摆脱了一般衬衫的呆板、从第一颗扣子解开的空间可以看见领口前项链的心型坠饰；手上不停转着紫色的圆珠笔，白皙的手腕上……

我翻开身旁的侧背包，拿出用夹链袋装着的幸运草手链。现在还她，就省下打电话的尴尬了。图书馆内的安静无声让我不好意思直接开口跟她说话，于是抽了一张便条纸……怎么写才好呢？

在我写完之前，坐在对面的她撕下笔记本的一页，折了两折之后递给我，并用微笑回应我脸上的疑惑。

打开看完之后，我的脸上更加疑惑，她却用一样的微笑回应我，那领口的心型坠饰随着晃动而反射出带有神秘意味的光线。我将书本、杂物、幸运草手链……所有东西都收拾好，离开图书馆。

离开之前，我在座位上将那个保险套巧克力拆开吃掉。我在做什么？向她说明那是巧克力而不是保险套吗？算了算了，先离开再说。

> 这个星期六晚上11点，我在朱雀湖畔等你，幸运草手链，那时候再还我吧。不见不散！拜托你，一定要来。
>
> 川遥佳

　　紫红色的墨水在浅紫色的笔记纸上写着简单的字句，并且留下了手机号码，右下角的署名之后还画上了紫色的爱心。看到她的名字让我一时之间不太能习惯，就好像我和见羽即使看过了毕业纪念册，却依旧用外文系女生在称呼那个女生一样。

　　幸运草美少女……川遥佳……我将手机通讯录里的名称进行了修改。

　　看着手链……她为什么要约我呢？

　　"太诡异了，一个女生这样丢纸条过来约在半夜的朱雀湖畔见面，一定有问题！"索尔说。

　　"的确是怪怪的，不过，看起来也不像是不正常的女孩子啊！"

　　"那倒未必，知人知面不知心，说不定她背地里在算计着什么阴谋也说不定。"

　　"我？对我要算计什么？"我对这个可能性想了一下，没有，完全没有，"半夜的湖畔，要钓鱼吗？"

　　"我看是把手链丢到湖里面去吧！说不定湖水精灵会送一条金的哦。"

　　"那我还真希望她帮我把手机也一起丢下去，让湖水精灵换一部新的上来。"

　　"不见不散"之后，又加了一句"拜托你，一定要来"，这简直是双挂号的超紧急通知嘛！

星期二到星期五，天气慢慢恢复稳定，还好在我出门的时候都没有下雨。

每天早上去驾训班练开车，教练有时候坐在副驾驶座跟我聊天，有时候在树荫下跟别的教练聊天。离开驾训班之后，都没再看见紫衣女孩，只有路边骑楼下那个洗拖把的阿婆。

星期五那天离开驾训班进行了一次"公路驾驶"，依照规划好的路线在车不多的乡间路上绕一大圈，回到驾训班的时候简直像算好的一样刚好是 8 点 50 分。

星期二和星期四早上去学校上课，中午吃过午餐之后到出版中心看书，傍晚跑步；星期三和星期五找见羽去练球，剩下的时间不是在循迹就是在宿舍看书，或是翻一翻驾照笔试的题本。

纠缠一周的台风所带来的外围环流逐渐远去，天空恢复了傍晚时刻应该有的优美，夕阳好像一边说着："好好加油啊，小伙子！我要下班啦！"一边缓缓地沉入地平线下面去。淡蓝天空和晚霞下的人们都显得那么有活力，在这样的环境下慢跑，甚是享受。

在这没什么新鲜刺激的几天中，有时候我会想起川遥佳，想到她散发出来的高雅气质和那个奇怪的约定，想起她的时候脑海中总是会浮现萤火虫的画面，在黑暗的山谷中，或者水边的草丛里，有时像是无目的地闪着光，有时那明灭似乎又带着指引什么的意味……

这几天虽然没发生什么特殊的事情，但总有一种怪怪的感觉在我身边环绕，最初是在星期二上课的时候，不知道为什么，总觉得有人从什么地方盯着我看。

很诡异的感觉，好像头上缠了看不见的蜘蛛丝一样，看不见却又挥不掉。

在可以容纳150人的阶梯教室里，我习惯坐在第三排。

当我察觉那诡异感的时候，我直觉地转头看了一下左后方，但什么也没有发现，每个人都专心地在听课或是打瞌睡，或是直接趴着呼呼大睡。

一直转头往后看的动作实在是太诡异了，万一被哪个怀疑我别有居心的女孩白眼或是被教授点名询问那可不妙，所以不久之后，我只好习惯那诡异的感觉与我共存。

这样的感觉在离开教室之后依然没有消失，但我怎么看也找不到有谁在盯着我偷看啊！神经衰弱了吗？

在健身房或操场的时候，那感觉总算是消失了，离开学校之后也没有感觉，但是在星期四上课的时候又出现了，而且不只是上课，连我在学校里闲晃、在出版中心看书的时候都无法摆脱。

"好恶心！你是不是被什么变态盯上了啊？"见羽说。

"这种台词应该是漂亮女生用的吧。"我说。

"躲在别人看不见的暗处窥探，不知道在打什么主意……不如这些直接表达热情的少女们啊……"

星期五晚上，我和见羽练完球之后坐在场边的木头长椅上喝水，闲聊。

球场内回荡着橡胶鞋底与木头地板摩擦的刺耳声响，不时有人大声喊叫，击球的清脆声音此起彼落，看台上几个在聊天的女孩不时将视线往我们这边投射过来，见羽也不吝啬地对她们招手微笑。

"啊！对了！难道会是……"见羽突然弹响手指。

"会是什么？"

"紫衣女孩啊！"

"什么！你是说她在暗处偷偷看我？拜托！怎么可能！"我说。

"我不是说紫衣女孩躲在暗处偷偷看你，而是某个跟她有关系的人躲在暗处偷偷观察你。"

"我不懂。"

"你听我说……"见羽开始他的分析，嗯……应该说是猜测，"你说你有多久没有看到紫衣女孩了？"

我想了一下："严格算起来，最后一次是上星期四在头桥那边看见她，所以到今天应该是……第八天，好像也没有很久。"

"我想，说不定她也发现你了。也许以前她对你这样的陌生人有印象，就像你对她的印象一样，本来都是觉得没什么了不起的陌生人。

"但是这学期她觉得有点不对劲儿了，说不定是在她特别打扮的那一次。

"她觉得你那天的眼神太奇怪了，说不定她将这样的情况告诉她身边的谁，而那个谁决定替心爱的人挺身而出，于是开始监视你的一举一动，看看你究竟想要对紫衣女孩做什么？而紫衣女孩也开始躲避你。"

"会是这样吗？也太有心机了吧！如果真的是那样的话，那就随他去看好了，反正我从来就没打算要特别去做什么，只是随着偶然的机会，如果看见了就看见了，一直没看见的话，就当作是生活模式不同而自然消失的陌生人吧！"

"你真的这样想吗？"见羽笑着说。

"不然还能怎么办？我说啊……你这样的猜测根本就是借题发挥的无厘头延伸，生活中任何细小的事件都可以凭着想象力变出许多种故事啊！"

"又或者被别种意图的人盯上了？"见羽继续猜测。

"比如说？"

"比如说想跟你进一步认识却不知道如何开口的人啊！或者……"见羽突然阴沉了一下，"觊觎你身上什么东西的人。"

我对这个可能性思索了一下说："我想这个可能性非常低！

"就外表来说，我不高，只有 1.70 米而没有 1.75 米，听说这叫作

半残；身材结实却不算强壮，打扮随性又对所谓的流行没太大兴趣；骑的是出厂已经有 10 年车龄的二手摩托车，从我身上看不到金钱闪耀的光芒，因为根本没有那种东西存在。

"个性又孤僻，怎么样都是偏悲观的性格，平常只跟几个比较要好的朋友往来，不喜欢打打闹闹的群众生活。虽然可以数下去的还有很多，不过我想差不多先就此打住，这样的一个人，究竟有什么人会想接近或是觊觎呢？"

"是啊，不像我身上一直带有明星气质。"

"这种话自己讲都不会不好意思啊。"我看着他又向看台上挥了挥手。

"那就是更诡异的原因了，"见羽对我说，不过脸却朝向看台上，"以不变应万变吧！没什么好担心的。我情书收了一堆都没回过，现在还不是活得好好的？"

"你这算是安抚人心的话吗？"

"你需要那种弱者的护身符吗？那是低劣的毒品啊！"见羽说。

我笑了笑："你没死是因为还有我挡在前面啊，别忘了。"

"这种对话才正常嘛！走吧，吃晚餐去。"

在大吃从 8 点半闲聊到将近 10 点，手机在桌上发出短信通知的铃声。

还记得明天晚上的约定吗？请你一定要来啊！晚上 11 点在朱雀湖

畔。请带两杯杏仁奶茶过来，谢谢你。

是川遥佳发来的，约定前一天还特别提醒，看来她挺在意这次约定的。也可能是怕我忘记吧，毕竟上次见面是星期一的事情了……等等！为什么她知道我的手机号码？还有，为什么要指定两杯杏仁奶茶？

"这么晚了还有短信？"见羽说。

"幸运草美少女。我没打过电话给她啊，她怎么会知道我的手机号码？"我说。

"你说那个要还她手链的女生啊。手机号码……我想这不是太大的问题吧，只要有心，要知道对方的任何资料都不是难事，这世界上有侦探这种职业啊！况且只是要知道对方的手机，根本不用大费周章吧！

"在这学校里面打听一下，院系、姓名、通讯录……都不是很难到手的东西，手机号码也只是顺理成章的一部分了。"见羽说。

"好吧，反正我本来就会去，到时候再问她就好。现在的重点是……"

"是什么？"

"杏仁奶茶！"我说。

"这算哪门子重点？"见羽瞪大了眼睛。

"我讨厌杏仁奶茶啊！这很重要耶！她叫我买两杯去，摆明了是要一人一杯嘛！真没礼貌，我要还她手链，所以应该是她要感谢我请我喝饮料吧？竟然是要我买，还指定要喝杏仁奶茶！"我说。

　　"看来你是遇到一个有趣的美少女了，对杏仁奶茶稍微容忍一下吧。"见羽说。

　　有人说杏仁很香，但是我不那样想，因为杏仁散发出来的味道会让我联想到厕所。据说是因为某些厕所清洁剂之中添加了闻起来含有杏仁香气的化学成分，我想，就是那个让我把杏仁与厕所之间做了自动的联想。

　　星期六晚上 10 点，我从宿舍出发前往学校，先在大吃买了两杯杏仁奶茶和一份炸鸡排当作一会儿聊天的消夜。悠闲地买好消夜、将摩托车停进学校大门旁的停车场再走到朱雀湖畔时，时间刚过 10 点半。

　　如果守时是一种优点的话，那这大概可以算是我少数优点的其中一项。

　　背后是活动中心一楼的广场，二楼的全家便利商店永远在那里亮着灯，三四楼传来隐隐约约的音乐声，大概是什么社团还在练习吧。

　　眼前就是朱雀湖，宁静的湖面轻轻漾着风吹起的涟漪，那涟漪将朱雀大桥上的路灯倒影以摇晃的方式在水面上不安稳地呈现。

　　桥底下是天鹅的住处，白天鹅在晚上不知道为什么几乎不到岸边来，只偶尔从那边传来叫声。

　　只有鸭子和黑天鹅在夜晚的湖面上看起来好像没有目的似的划着水，鸭子发出和天鹅不一样的叫声，黑天鹅偶尔将翅膀像是散热一样张开来扇一扇，露出那下面的白色羽毛。

夜半的湖畔对我来说并不陌生。大一的时候，我和见羽在宿舍顶楼聊天腻了，后来便常常带着饮料走到湖畔来聊，三更半夜才回宿舍是常有的事，更有几次到天亮了才回去睡觉。

上大学的第一次跨年夜也是在这湖畔，和一群朋友在湖畔放烟火、唱歌，一起倒数迎接新年的到来，也有不少次在这里帮朋友庆生，或是大家带着消夜在这里弹吉他、唱歌、聊天。

我在这里看到我人生中的第一颗流星、交了上大学之后的第一个女朋友、一个人在这里喝酒到半夜、知道白天鹅在晚上是不来岸边的……现在，第一次被女孩子以奇怪的方式邀约。

我坐在湖畔吃着炸鸡排，听着背后从活动中心传来的隐约音乐声，想象在那些音乐旁边对着镜子苦练舞蹈的学生；看着湖面上的橘色波纹不安稳地微微晃动，一只黑天鹅从我面前划水而过时叫了一声，一幅和平的景象……

"哎呀！我迟到了吗？对不起。"背后传来的声音之中带着微微的惊慌与歉意。

我看了一下手表，10点55分。

"还没有，现在才10点55分。"我转过头去，站在我右后方的川遥佳走到我身旁坐下。

她今天在衬衫外披了一件紫色的薄外套，牛仔短裙下那曲线玲珑的腿在夜色中像是具有神秘意味的象征似的反射着隐隐微光，无声地接近我、无声地在我身旁安稳地并排在一起，好像家教良好的猫一样，一瞬间就将方才的惊慌不着痕迹地收敛到不知道什么地方去了。

在图书馆那次，我只看见她的上半身，只看见穿着紫色细条纹的微皱衬衫、项链的心型坠饰、紫色的圆珠笔……此时回想，紫衣女孩的影像瞬间闪过脑海！

不！她是幸运草美少女，只不过喜欢紫色的东西罢了，虽然她身上紫色的东西也不少（紫衣女孩只有紫色外套与紫色提包），不过这是不容混淆的。坐在我身边的是幸运草美少女，紫衣女孩……紫衣女孩不知道消失到什么地方去了。

我和她暂时都没有说话，我看着黑天鹅从我的左前方游到右前方去，坐在我右边的她低着头看着自己的鞋子，左手的大拇指不停地搓揉着右手腕，好像在确定什么东西似的没有说话。

我决定让她先开口，不知道为什么，但是凝滞的空气中似乎带有这样的暗示味道。我吃着最后一块带有骨头的鸡排，两杯还没插吸管的杏仁奶茶在我们之间安静着，水滴静静地在杯壁上凝聚，然后流下……

不知道过了多久的沉默……

"很抱歉用这么奇怪的方式将你约出来，这么晚的时间你还愿意来，真的很抱歉，也很谢谢你。"

她看着自己的鞋子慢慢地说完这些话，左手依然在搓揉着右手腕，仿佛那个动作有助她的思考似的。

我将外套内侧口袋中的手链拿出来："这个，先还你吧。"

"啊！谢谢你。"她将手链从夹链袋中拿出来绕过右手腕，试图单手将末端扣环扣上，不过看起来不怎么顺利。

"那个……是不是太暗了？我帮你吧。"

我的手一向不灵巧，小心翼翼地才将那扣环扣上，从她身上传来了淡淡的花香。

"谢谢……这个……"

"不用钱，你记得上次那个高中女生吗？她说不用。"

"是那个活泼可爱的高中生啊。"她笑了。

活泼可爱……我想起惠真那个好像始终都在打着坏主意的笑容。

"嗯……我找你出来见面的原因，是想请你帮忙一件事情。"

"帮忙？"

"我想请你……"她好像在选择用字似的思考了一下，"请你代替一个人。"

我下意识地将头转向她。

代替一个人，这是什么意思？

"我知道这样的要求很奇怪，但是请你相信我，我真的没有什么恶意。

"其实在图书馆见面之前，我就有这样的想法了，那天在图书馆遇见正在睡觉的你，我坐在你对面思考了一阵子，决定写纸条给你，但是在那之后我还是有点不能安心，所以后来的几天，我偷偷地在你周围观察你的一举一动，你应该有发现吧？

"对于这样没有礼貌的偷窥，我真的是很抱歉，但是如果不这样，我就没办法确定地说服我自己你就是合适的人，你能了解我的意思吗？"

原来偷偷摸摸的人是你啊！这下总算真相大白了。

"嗯，我想我大概了解你的意思，只是可能还需要一点时间习惯，另外也需要一些更确实的信息，像是你所说的'代替一个人'，是什么意思？还有，为什么是我？"

"代替一个人，代替已经不在我身边的男朋友。"

就在我惊讶的同时，她抢着继续说："我知道这样真的很奇怪，但是我希望你能够花一点时间听我说，如果终究你还是无法理解、无法同意我的想法，那我也不会有第二句话。可以吗？"

沉默再次降临。

3个男生从我们身后走过，看了我们这边一眼。

这个样子大概很像在谈判分手的情侣吧！用两杯杏仁奶茶隔开彼此，用杏仁奶茶来划开两个再也不相干的世界。

嗯，这样的分手也不错啊！

至少比起吃法国大餐之后将红酒泼在对方脸上来得有意义！便宜又有内涵，质朴无华，具有身为乡下大学生的代表性，好一个杏仁奶茶。

"嗯，大致上可以，但是我想先问几个问题。

"在这个代替的过程中，你需要我付出什么？我想有必要先弄清楚这一点，万一你需要的是跑车或是昂贵的烛光晚餐，那很抱歉，这世界上有很多东西是光靠心意仍然无能为力的，你了解吗？就像螳臂当车一样，结果只是被压得扁扁的而已。"

"时间，最需要的是时间。"简单明了的答案。

"那我想大概是没有问题的，空闲的时间我有很多，"初步达成共识，"那第二个问题呢？为什么是我？"

"因为你是捡到这条手链的人，还将它恢复成美丽的样子。"她微笑。

路上东西不能乱捡，不然会被抓去当鬼新郎！

怎么我脑中突然浮现出惠真说的那句话……

"你知道幸运草的四片叶子代表什么吗？"她问我。

"不知道，我跟植物不太熟。"我说。

她笑了："信仰、希望、爱情，还有幸运。大部分的酢浆草都是三叶的，要找到四叶的很不容易，所以叫作幸运草。"

原来如此，那现在是她很幸运还是我很幸运？

"这是我大二的时候送给自己的生日礼物，向十开头的岁月说再见，当作正式进入 20 岁的纪念。后来还被我男朋友笑呢！他说有信仰、希望、爱情这三样不是就很够了吗？还大费周章多要求一项幸运，真贪心。"

不是没有道理啊，我想，幸运……赌徒比较需要吧？

"不过我觉得……"

她继续说："幸运虽然不可捉摸，但总是能让人感到温暖的期待，很多事情最后的临门一脚都是好运带来的，你不觉得吗？

"有信仰、希望、爱情虽然已经很美好了，但是看着遥远的目标却不知道会不会达成……有时候很累人，总是偷偷希望能遇到意外的好事吧，像是遇见你一样。"

"我？"

"是啊。"她笑着说。

"好吧，好像稍微可以理解，那……是不是要先自我介绍一下？虽然你应该也已经知道……"

"不！"她突然用强烈坚决的态度制止了我，"对不起，请不要告诉我你的一切，因为我希望你能代替那个人，所以能够请你尽量保持在我印象中的空白吗？除非是我希望你能告知的情况那就另当别论。抱歉，请你帮忙还这样无礼。"

既然都答应帮忙了，那再多答应一些条件也差不到哪里去。

"好吧！既然如此的话，那主动权就交给你喽！对了，最后我还有一项原则，如果这项原则可以不被破坏，那就差不多可以全心帮你的忙了。"

"什么原则？"

"伤天害理的事情我不干，虽然什么叫伤天害理没有一定标准，但是我有我的原则，踩线的时候我会告诉你'犯规喽！在我的原则内这是不被允许的！'这样可以吗？"

她低头思考了一下，紧闭了一下嘴唇然后开口："嗯，我想没问题，不会有伤天害理的事情出现，如果真的踩线了请你告诉我。"

"好，那就请你说明吧！"

"我的名字……川遥佳……这之前你就知道的，我是历史系大四的学生。我和我的男朋友第一次是在这里见面，就是现在我们坐的这个位置。"

她停了一下，轻轻笑了一声："对了，你怎么知道要在这里等我？湖畔这么大一圈！我在纸条上应该没有说清楚要在哪里等吧？来这里之前，我本来还在为这个疏忽担心的。"

"对啊！"这么一说我才想到，"没想那么多，我以前有时候会来湖畔，来的时候都是习惯坐这里，所以只是我的直觉而已，没想到这么巧。"

"原来是这样……"她无语地看着手链。

这大概也是幸运吧？我想。我没有插嘴，只是等她继续说下去。

"第一次在这里见面，最后一次则是在那里……"她转身指向右后方的小拱桥，"在那里见了最后一次面之后，我们就再也没见面了。"

那座小型拱桥，被学生戏称为"分手桥"，传说只要情侣手牵手走过那座桥就一定会分手，对于这个我是嗤之以鼻，这分明就是没有另一半的人因为忌妒眼红而传出的谣言吧。

"你应该也知道吧！那座桥被称为'分手桥'，但是，我和他不是因为走过那座桥才分手的，那种传说怎么能相信嘛！你说是吗？"她说完之后轻轻地笑了，在她身上多了一些轻松的气息。

"我和他啊，是因为不得不分手了，所以才到那桥上去的，好像一种仪式一样，你了解吗？说起来真好笑，本来一点都不相信那种无聊的传言，最后竟然好像反向操作似的在那里结束了，想起来真是可笑。"

"不得不分手了？这是什么意思？"我问她。

"因为他们家要移民了，永远不再回来的那种移民。到加拿大去，听说是他爸爸决定的，为什么要到那种冷得不得了的地方去呢？我无法了解。

"他知道了消息之后告诉我，那天晚上，我在他住的地方哭了很久，不过眼泪终究是留不住谁的，他终究是要离开的。我们在那分手桥上给彼此祝福，然后分手，完完全全地分手，不再联络，开始新的生活……"

她好像在回忆那最后一天似的，静静地望着分手桥。

"这是什么时候的事情？"

"今年6月，也就是学期结束之后，7月的时候他们家就移民了，移民到那个国旗上有枫叶图案的国家去了。"

加拿大似乎比较悠闲的样子，只是比较冷一些。

"那个和今天的事情有什么关系？"我问她。

"在他离开之后，我发现自己完全无法习惯！我的心被挖空了，冷风在空空洞洞的黑暗之中来回吹着，我跟家里说要留在学校念书准备研究生考试，那当然是骗人的，我只是想在嘉义慢慢习惯他已经不在了的事实。

"我每天去我们曾经去过的地方，去吃我们一起吃过的东西，在那些地方回忆我和他的过去，希望可以渐渐习惯，习惯'他真的已经不在了'……

"但是没有办法，即使我再怎么努力、相信自己可以办到，但是我的心仍然有一部分还是空的，什么也没有补上去，只有冷风在那里面来回吹着……"

她的视线回过来看着自己的鞋子，眼泪无声地滴落在那旁边长着一点点草的土壤上。

我想象着她的心被起飞的飞机带到寒冷的加拿大土地上去的样子，行人在路上走着，嘴里呵出来的热空气变成白色烟雾然后消散无踪。

川遥佳的心被遗落在不知名的路上，枫叶被冷风吹起，飘过她的心旁边，带来冷冷的寒意。她的男朋友并不知道，因为他以为在分手桥上的两人已经用祝福将彼此的心都好好地留在彼此身上了。

"我叫他阿曦，晨曦的曦，可以让我暂时这样叫你吗？对不起……"

"可以啊！叫什么都可以，反正称呼只是一种方便而已。只要彼此可以接受，叫什么都一样。"

"称呼只是一种方便而已？"

"是啊！就像对你们历史系来说，把唐玄宗、杨贵妃、安禄山、史思明、高力士……那一堆人在那一段时间做的事情用一个'安史之乱'来简单称呼一样，说到'安史之乱'，就可以想到这个名词背后所包含的事件。

"要叫'爱吃荔枝的胖美女带领唐朝走下坡实录'也可以吧！只是历史学家可能不会喜欢这个名字。"

"哈哈！你这样乱说，对历史有喜好的拥护者会生气的！"她轻轻地抹去泪痕。

"我想也是。你要叫我什么我都没有意见。阿曦，不难听啊！不过，他会不会抱怨自己的名字笔画太多啊？要是我的话一定会，还好现在只是一种称呼，不必真的签名。"

"是啊！他是常抱怨，还说小时候学写名字的时候常常哭叫着说'不写了啦！'然后把笔摔到地上呢！"

"要是我也会，笔画太多了嘛！"

不熟悉的生硬气氛到现在总算有慢慢软化的味道。

"那么，他以前都怎么叫你呢？需要我也那样叫你吗？"

"小佳，他都叫我小佳。'才子佳人'的'佳',"她想了一下，"嗯，如果可以的话，我希望你也这样叫我。"

"嗯，没问题啊！"我说。

"称呼只是一种方便而已嘛！"

"是的，只是一种方便而已。小佳……笔画真少，至少比起阿曦来说。"

在没有月亮的天空中，天上的星星移动了一些距离，它们在天上静静地刻着时间，小佳对着"阿曦"说起以前的故事——

阿曦和小佳同年，但是不同系，小佳念历史系，阿曦念机械系。

小佳在大三的某个夜晚，因为和室友之间的一些不愉快，一个人从宿舍跑到湖畔来生闷气，那天也是没有月亮的晚上 11 点，在小佳的右手边不远处有一个男生在抽烟。

"可以不要抽烟吗？同学。"小佳往阿曦那个方向说。

阿曦愣了一下："嘿！同学，是我先来的耶！这里这么空旷，你哪里不选选那个位置，是你打扰到我抽烟，要离开的应该是你吧！"对小佳说完之后，阿曦咕哝了一句："真够倒霉，心情不好来抽烟还要被赶。"

阿曦并没有离开的意思，小佳站在原地看着阿曦，阿曦继续坐着抽他的烟，两人之间的空气越来越冷。

小佳先打破僵局，走上前去……

"我把他摆在身边还没有插吸管的饮料抢过来喝了！很没礼貌吧？"小佳看着我和他之间的杏仁奶茶说。

"是很没礼貌。"而且挺有创意的，后面那句我没说。

"我们就是从那一天开始认识的。从那天之后，我们开始约会，最后，当然就成了男女朋友。"

她从塑料袋里拿出已经不怎么冰的杏仁奶茶，插入吸管。

"他最喜欢喝的饮料就是杏仁奶茶，我本来就不排斥这个，所以也就开始跟着他一起喝。"她说。

可是我不喜欢啊！天啊！不过关于这个，我决定还是暂时不要开口的好。

"对了，我不抽烟！这虽然不是什么伤天害理的事情，不过这是我的原则之一，你可以接受吗？"关于杏仁奶茶我还是没说。

她喝了一口杏仁奶茶，将另外一杯拿给我，帮我插了吸管。

"这没关系，反正我本来就不喜欢他抽烟。"

那还真是万幸啊！我心里想。

面对着杏仁奶茶，我考虑了一下，终于还是喝下一口，虽然那气味依然让我联想到厕所，不过比想象中的好喝许多。

"那在今天之后，我要怎么帮助你呢？"我问她。

"就像我刚刚说的一样，我需要的是时间，需要与'阿曦'在一起，把心里面的洞一点一点地弥补起来。"

"所以你会需要我花一些时间陪你去一些地方，做一些事情吗？"

"没错，大致上是这样。真的……没问题吗？"

"没问题，时间，我想我有很多。能够帮助你的话，对我来说也是不错的事情。"

"可是到现在为止，我还是觉得对你来说很过意不去，只是我单方面的要求，对你来说没有任何好处啊。"

"好处啊……能够和一个美女到处玩、说话聊天可以算好处吗？我说可以，所以这方面你就不必担心了。我有最后一个疑问，真的只是因为我捡到了幸运草手链所以就决定找我？"

"还有一部分是因为感觉，你和阿曦的感觉很像，所以几次见面之后，我就一直在心中挣扎着到底要不要提出这个无礼的要求。"

"所谓的'感觉很像'是什么意思？"我问。

"嗯，具体的形容我不会说明，但那是一种感觉，我不知道你能不能了解。"

说真的，我不能。

"见过几次面之后，我决定向你提出请求。但在那天之后，我为了更加确定，所以偷偷地观察你，我根本没上'组织行为'那堂课，只是为了观察你所以才偷偷跟进去的。"

"总之，最后你觉得没问题了对吧？"

"是啊。"

"那万一你突然觉得感觉不对了怎么办？今天我不就要一个人呆呆地出现？"

"你忘了吗？我有发短信给你呀！万一我突然觉得要踩刹车的话，我也会通过短信告诉你取消约定的，毕竟无礼的要求总不能还是无礼地结束吧。我也不是那么任性的女孩子，当然……这样的要求已经很任性了，我……"

她闭上嘴巴，想在空气中找到正确的句子。

"嗯，没关系，我可以理解，不管怎样，结论是我们今天在这里见面了，我也答应暂时当你的'阿曦'，直到你习惯'阿曦'的消失为止，其他的什么东西就不用再去追究了，过去的就算了，好好面对接下来的事情吧！"

"嗯，谢谢你！今天的见面谈话，已经让我有完全的确定了。"她说。

虚拟的身份，存在于别人的想象与塑造中，虚拟的阿曦。

"你喜欢杏仁奶茶吗？这是阿曦最喜欢的饮料。"她说。

"也谈不上喜不喜欢，不过还可以接受，这一点你不用担心。"我喝了一口杏仁奶茶，厕所的联想一时之间还无法消除。

　　"真的谢谢你愿意帮我这个忙，不然我真的不知道要用什么方法去恢复……"

　　"好了，不用再一直感到抱歉或是一直跟我道谢了，我现在是'阿曦'，好吗？今天已经很晚了，虽然明天是星期日，不过我想还是先回家休息比较好，改天再联络吧！"我说完之后站了起来。

　　"好。"她也站起来准备离开。

　　"对了，你的腿非常美！"

　　"谢谢你，大家都这么说。"她用开心的笑容结束了今晚的谈话。

　　她和我一起走到大门停车场去，我在摩托车旁打开车垫拿出安全帽来戴上，她就那样站在我旁边。

　　"嗯？你的车呢？"我问她。

　　"我没骑摩托车过来，我住宿舍。刚刚是走着去湖畔的。"

　　"你住宿舍？大四不是很难抽到住宿的机会吗？"

　　"因为我运气很好啊，"川遥佳做了一个顽皮的笑容，"你载我回宿舍吧！"

　　"好啊！"

　　到了宿舍门口，她说再见，我说再见。

　　回家之后，我拿出手机来充电，有一条她发来的短信："谢谢你，阿曦。"

　　我回短信："我到家了。晚安，小佳。"

不寄出的信（5）

阿曦：

　　今天我做了一件可能需要向你道歉的事情，说是"可能"，是因为我们已经不是男女朋友了，其实没有必要道歉的，而且你也看不到了。只是……这样讲出来我的心情会好过一点吧。

　　信仰、希望、爱情、幸运，幸运草的第四片叶子真的是需要的，在适应你离开的这段时间内，我做了相当大的努力，也得到了应有的回报，心中的空洞稍微填补起来了，但是仍然有无法填补的地方。

　　我已经走到过渡期的末端了，需要最后的突破。兰潭会是一个关键，但是我想，光靠我自己的力量是不够的，那需要有个人陪我一起才行，而这时候他出现了，因为那条幸运草手链……

　　你已经不在了，我想，再不用多久，我就能完全跨越过去了。

　　你也有需要突破与跨越的吗？如果有，我希望你也能顺利做到。

小佳

Chapter 6　影子的变化

　　距离上个星期六那天深夜的湖畔交谈之后已经过了四天，川遥佳没有再跟我联络，今天已经是星期三了。

　　这几天完全没有消息的状况，让我觉得上星期六的交谈好像是一场虚无一样。

　　我本来以为她会和我联络，找我一起去什么地方填补她心中的那个空洞的，但是并没有，完全没有联络，这让我渐渐失去对于她这个人以及她身上那个故事的真实感。

　　"说不定那是一场感觉很逼真的梦吧？"我渐渐有这样的感觉。

　　不过借由手机内那两条她传来的短信以及通讯录中她的电话号码，

真实感又稳稳地落到了我的手上。

那不是虚幻，是真的。

也许她还在想什么吧？这我不清楚，不过我的原则是被动。毕竟我找不到什么叫我要主动的理由，那我有什么非得被动的坚持吗？也没有。

"很多时候，分析无用的时候就只有靠直觉了，人生如球场啊！"见羽这么说过。

"对，靠直觉吧。"

我想。

"代替她男朋友？"

见羽不敢置信地看着我。

练完球之后，我和见羽吃着晚餐，我向他提起川遥佳的事情。

"不是还她手链就没事了吗？"

见羽说："要你代替她男朋友做什么？"

"说是要我陪她去一些地方，做一些事情，慢慢习惯她男朋友已经不在的事实。不过，自从上周六做了约定之后，就没下文了。"

"她……是浪漫过头了吧？亏她想得出来，"见羽将饮料杯的封膜撕开，用吸管搅动冰块，"搞得像过家家似的，要陪她做什么？你可不要做什么太过的事情。嘿！

"女人这种生物，浪漫起来脑袋跟糨糊一样，什么都做得出来，事后又马上哭着说要你负责之类的；男人更糟，只要下半身稍微觉醒就全世界都跟糨糊一样了。"

"真不晓得那些迷恋你的少女听到这些话会说什么。"

我想到他送的生日礼物。

"可能就大梦初醒，了解我的直率坦诚，于是更爱我了吧。"

"这样你也能接……"到底哪儿来的自信？

"我说你啊，把紫衣女孩放到哪里去了呢？"见羽说，"你看看我，从大一到现在，对外文系女生这么专情，即使收到这么多情书，其中也有真的很不错的女孩子，但是我可是从来没有动摇过！"

"既然你提了，我也正好要问你，为什么你对外文系女生这么坚持呢？你根本不认识她啊。"

"嗯……"

见羽放下杯子："你这个问题我也不是没有想过。当然，她的外表非常迷人是重点，但另一方面，可能是因为她对于我完全不为所动吧，跟其他的女孩子完全不同，这让我非常好奇她到底是怎么想的。"

"你认为呢？她是怎么想的？"

"完全不知道！我本来就不喜欢东猜西猜的，反正又猜不中，只是跟笨蛋一样而已。"见羽说。

"可是一定有某种程度的美好幻想吧，对她的个性、与她可能的相处之类的。"

"那当然。"

"万一这些猜想都是错的呢？"我说，"会不会正是因为这个担心，担心幻想破灭，所以宁可不要拆穿？"

"当然还要担心被拒绝。"见羽补了一句。

"你对外文系女生、我对紫衣女孩，根本是半斤八两吧。"

"反手底线啊……"见羽叹了一口气。

"是啊，这反手击球万一质量太差，对方可是毫不留情就从中场扣杀了啊！"我说。

"人生就像球场，我们都在保护自己的反手后场区域啊。"见羽说。

"勇于挑战，过得了那关，在羽毛球的世界里才算升上一级啊。"我回应。

"的确……人生的话嘛……"见羽停顿了一下，转移话题，"所以呢？现在这个幸运草美少女……"

"她的确是我喜欢的类型，我们彼此也聊得来，我也不否认心里面偷偷存在的希望。不过，我现在是以朋友的身份在帮她，先等代替她男朋友这件事情结束，之后怎么样再说吧！"

见羽点点头。

"你和我……"我继续说，"我们一直在聊各自心仪的对象，聊了几年下来，然后呢？我们会不会只是在聊自己心中编造出来的精美人偶？而对于真正的实体我们却完全不了解，连碰也不敢碰。"

见羽笑了笑，没说什么。

回到家已经快要 11 点了，洗澡之后在书桌前翻开汽车驾照笔试的题库本。

下个星期一就要考试了，笔试题目都是从题库本里面抽出来的，所以只要有印象就不会有什么问题，重点还是在实际驾驶这方面，如果压到边线，扣 32 分，很抱歉，请下次再来。

接近 12 点的时候，手机在安静的空间中响起，是短信的声音。

"星期天你有空吗？我想去兰潭走走。"川遥佳传来的。

我直接按下回拨键。

"小佳？"

"我以为你已经睡了，没有直接打给你。"她说。

"阿曦都这么早睡吗？"好像在问自己的分身一样。

"也不一定啦！星期天……"

电话那头沉默了一下："你……有空吗？"那种谨慎，好像准备了很久才说出那句"你有空吗"。

"有空啊！去兰潭吗？没问题。"

"真的吗？可是那里距离学校好远耶！会不会太麻烦了？"那声音听起来好像在害怕着被长辈责骂似的。

"放心，没问题。在湖畔的时候就说过了，时间我有很多，答应要帮你的事情当然要尽量做到啊！"

"嗯，谢谢你！那么，星期天下午4点半来宿舍门口接我好吗？"

"可以。对了，我可以麻烦你一件事吗？"

"你说说看，可以的话我一定做到。"因为邀约成立，她的声音听起来开朗许多。

"就是……"这下子却换我放不开了，"可以麻烦你……绑马尾吗？"我想起图书馆那个下午，她那甜甜的笑容和美好的身影。

"原来是这个啊！我还以为是什么难事呢！听你的声音，害我跟着紧张了一下。"她笑着说。

"对不起，突然这样要求感觉很怪啊，哈哈。"

两边的声音在第一次的电话交谈中总算出现了轻松自然的气氛。

"绑马尾出现没问题啊！阿曦最喜欢的就是这种发型了。"

阿曦喜欢马尾，我也喜欢马尾，那句"阿曦最喜欢的就是这种发型了"听起来真怪，到底是说给我听的？还是给远在加拿大的那个人听的？

"你知道吗？你不说我也会绑马尾的。"她说。

"为什么？"我问。

"因为如果不把头发绑好藏在衣服里面的话，骑摩托车会让头发乱飞，会严重打结的啊，没有女生跟你说过吗？"

听她的语气，似乎这是理所当然的常识一样，我觉得自己问了一个笨问题。

"星期天见喽！好晚了，阿曦不睡觉，我要睡觉了。"小佳打了一个呵欠。

"嗯，星期天见，晚安。"

"晚安。"

挂掉电话之后，我看着题库发呆，视线的焦点不在题库上，而是在我的眼睛与题库之间的虚空中的某一个点上。

阿曦，在加拿大的那个阿曦是个怎样的人？

为什么我要踩上别人所遗留下来的影子，去让某个人习惯那影子的渐渐淡化呢？我有我自己的实体和我自己的影子，川遥佳要花多少时间去将阿曦的影子消除呢？在那之后，对于我这个人的实体和那拉得长长的影子，她又要怎么看待呢？

"现在已经是信用的问题了。"索尔说。

"嗯，这样想确实比较简单，受人之托，忠人之事。"

"而且答应的时候松了一口气！对吧？"

"你是说去兰潭这件事吗？"我将题库本收进抽屉，坐在地上，将背靠在衣柜上。

"对啊！"

"的确是，去兰潭总比在校园里面好。那里是个距离学校十几千米以外的地方，不必担心会遇到熟悉的人。"

"解释起来很麻烦啊。"

"一点也没错！况且去远一点的地方走走也不错，有一阵子没出去了。"

"你猜她要去那里做什么？"

"不清楚。钓鱼？绕环潭公路慢跑？看夕阳？谁知道啊！"

"说不定是去悼念的。"

"悼念？悼念什么？"

"悼念死去的谁啊！那个地方过去不是发生过不少的自杀案件吗？因为各种原因就那样往湖里面走进去，死了之后再浮起来，因为意外溺水的也有。最可怕的还是以前发生过的母子3人自焚事件吧！"

这是听循迹阿姨说的，以前有一个妈妈带着两个小孩在那环潭公路上的某个凉亭里面引火自焚，3个人紧紧地抱在一起，烧死了。

"说不定只是因为那里是她跟阿曦常去约会的地方吧！难不成她是要去悼念死在湖里面的阿曦，然后跟我说根本没有在加拿大的阿曦？事情没那么戏剧性吧！"我说。

"任何可能性都存在呀！"

"反正我就是在那一天披上阿曦的影子，带川遥佳去兰潭，其他的静观其变喽！"

"等那影子慢慢变淡。"索尔说。

"是的，等那影子慢慢变淡。"我说。

那影子的浓淡只存在于川遥佳的心中，只有她能分辨那影子的变化，最后让影子消失，然后……

10月16日，星期日。明天就是汽车驾照的考试时间了。

今天下午我要披上别人的影子去赴约，明天的考试一定得亲自上阵；今天是被动地接招，明天是主动出击。

4点的时候离开住处到民雄街上的便利商店买了一条巧克力棒，将口袋里的几个1元丢进柜台旁的募款箱里面。

我在便利商店外将巧克力棒吃完，前方不远处的平交道上有一列火车慢慢减速进入民雄车站。

闯平交道扣32分，下次再来，驾训班考试是这样；而在现实生活中闯了平交道除了罚款1.2万之外，有些东西是无法重来的。

我骑上摩托车，穿越栅栏已经升起的平交道，向右边看见那停在民雄月台边的火车，哪边都可以是头或是尾，在铁道上来来回回，吞进吐出无数旅客，自己却只能慢慢耗损，最终哪里也到不了。

往学校的路上，右后方的夕阳将金黄色光芒向前洒出，那光芒穿过树的叶隙，在柏油路上展现出莫奈式的画风。

等待回转时，川遥佳在宿舍门口那边向我挥手微笑，深棕色的长卷发在温暖的午后闪着开朗的光。

"不准时！"她对我笑笑。

"我迟到了吗？"我看了表，4点25，应该还有5分钟啊！

"你早到了5分钟。"她指着我的手表。

我无言。

"哈哈，开个小玩笑啦，不迟到是好习惯！跟上次一样。"

"原来是这样啊，害我吓一跳。"我尴尬地笑了。

我拿出安全帽让她戴上，她跨上后座，出发。

"喜欢今天的发型吗？"她从后座对我说。

"嗯，很漂亮，很适合你。"

从联外道路进入头桥地区，再从民雄工业区左转接上省道台一线，经过热闹的嘉义市区，从民族路接上大雅路之后，道路逐渐变宽，而繁荣程度则是成反比地从身旁经过，经过兰潭小学，在一个岔路右转，不久之后左手边出现辽阔的水平面——兰潭。

"到喽！你要在哪里停下来看风景吗？"我问她。

"嗯，在'兰潭泛月'的石碑那里。"

"好。"

环潭公路景色优美，参加嘉义市举办的环潭路跑活动是一大享受。但如果是骑车的话，就需要一定的注意力，否则不是跌进湖里面去，就是摔下另一边的陡坡，滚到坟墓堆里面去了。

狭窄的公路过去之后，直走会进入嘉义大学的兰潭校区，我们顺着路左转，靠右边停下，一旁正是那成不规则形状的椭圆大石碑，上面写着"兰潭泛月"4个红色大字。

兰潭泛月，嘉义8大美景之一。

晚上的兰潭我只来过几次，只有满天星星的记忆，月亮倒是没什么印象，大概是来错时间了吧。

月亮每天比前一天升起的时间迟约50分钟，满月在傍晚6点升起，凌晨6点落下，这样的话，可以在晚上看到月亮的时间……现在是下午5点多……

川遥佳走向对面，在柏油路的尽头看着眼前辽阔的兰潭，湖面反射夕阳光辉形成炫目的光景，这和午后的朱雀湖或是夜晚的朱雀湖都不相同，更为辽阔的湖面远方是淡蓝色的平静，周围被草绿的缓坡包围着。

"阿曦就是在这里向我告白的。"川遥佳像是对着自己说。

我静静地站在她身边，看着平静的湖面。

"那一天和今天一样……"她说着，轻轻低下了头。

和今天一样？10月16日？星期天？5点？什么一样？我知道她会继续说，于是没有插嘴。

"都是满月的前一天。"她说完，转过头来看着我。

不对，不是我，她在看着我脸上的别的东西，那不是我，是那个影子，阿曦。

105

她又将脸转向湖面说："也是这个时间，农历 14 日的下午 5 点刚过。

"他在这里对我说：'月亮现在正从东方升起，今天是满月的前一天，到了明天，它就会以圆满的姿态在 6 点钟从东方天空升起。我想和你，像今天此时的月亮一样，静静地开始，一起走向圆满的未来。你……愿意吗？'"

阿曦这家伙是古代人吗？竟然用农历记事！

也许，应该是阿曦对川遥佳的心意吧！

让他特地去查了月亮圆缺和升落的时间知识，特地安排在农历 14 日的下午 5 点刚过的时间，在著名的兰潭泛月景色前向川遥佳告白。

不过，月亮过了一天之后满月，阿曦和川遥佳却没有走到圆满结局的那一天。

川遥佳对着阿曦的影子回忆往事，那加拿大的阿曦呢？你还记得自己做的事情吗？

川遥佳转过头来看我，露出了若有若无的微笑，从那个微笑可以分辨出来，我身上那个别人的影子的浓度已经淡了一些，那影子被风吹向宁静的兰潭湖面，沉入湖底被不知名的微生物分解掉。

沉默降临，微风轻掠湖面，摩托车和汽车从我们身后经过，落下的夕阳与差一天满月的月亮分别从东西两端滑过地平线，转换日夜。

"你是心理系的对吧？"她突然转过来问我，"上次调查你的手机号码的时候知道的，你不介意吧？"

"都已经站在这里了，还有什么好介意的呢？只是为什么……"

"我想，除了阿曦之外，我也必须认识真正的你才对，"她转向湖面，"没见面的这几天我一直在想，毕竟阿曦是阿曦，你是你，我不想再用'阿曦'来称呼你了，总觉得对你和他都说不过去。"

"我可以理解。"

影子的浓度渐渐消减，一层一层地剥落，被吹向湖面，沉入幽暗的湖底。

"很厉害！"我说。

"什么很厉害？"

"阿曦啊！这种告白方式。他平常对天文学有兴趣吗？还是高中时代学的地理知识一直记到现在？"

"当然是特别去查的啊！也不知道他是怎么想到那个点子的，后来听说是问了天文社的朋友才搞清楚时间。"

"很感动吗？这么特别的方式？"

川遥佳低下头看着自己的脚尖，好像在回忆那天的感觉："很感动……真的很感动，他的脑浆竟然没被理工学院的逻辑算式给固化了，还能想出这么有创意又浪漫的告白。"

川遥佳的语气中似乎掺杂了愉悦的碎片和无奈的气息。

"我们就从那一天开始正式交往了。"她说。

"名称变成男女朋友了。"

"是啊！不再是暧昧的好朋友，是男女朋友。"

黄昏的风吹过，树叶发出沙沙声响，天空中的蓝和湖水的蓝一起渐渐变深，夕阳落入地平线之下，月亮慢慢升起，黄白色的，明天就要圆满的月。

"你平常在忙些什么呀？"川遥佳露出微笑问我。

"我？"地上的我的影子加深了浓度，"也没什么了不起的大事，比较特别的倒是有一件，我明天要到驾训班考试。"

"驾训班？"川遥佳张大眼睛看着我，"是去考汽车驾照吗？"

"对啊，不是直升机也不是潜水艇，也不是大卡车！就是一般的小汽车。"

"你的幽默好奇怪！"她笑了，"有没有自信啊？"

"应该没什么问题啦！笔试题目都从是题库抽出来的，不会有什么问题，只要考试的时候，驾驶稳定就好了。"

"我考过了！我相信你也没问题的。"她说。

"你考过了？"

"对啊，大概两个礼拜以前吧，9月29日，星期四，我记得很清楚，因为那天是我生日。"

那天我也记得很清楚，我看见紫衣女孩走进驾训班。

"忘了问你……"

她说："这条手链一直在你那里吗？"

"是啊，惠真给我之后就一直在我这里，只是我一直没拿给你，不好意思。"

"其实你知道我的手机号码吧？怎么不直接打给我？害羞吗？"她笑了。

"不是……因为……那时候你是把手机号码给惠真，如果我打去的话，很奇怪……"

"你怎么这么老实？"

她笑着看着我说，可是我一点也没有被称赞的感觉。

"那如果没在图书馆遇到的话，我的手链不就拿不回来了？"她说。

"嗯……那天我是有打算要找时间打电话给你了啦，不过就刚好遇到了。"我说。

"有了电话却不敢打……那对于我无所不用其极地查到你的电话，你会觉得很过分吗？"

"不会……"我老实说。

"漂亮的女生在这方面来说是占上风的啊！"

我笑了，的确是像她讲的，没错。

"明天的考试加油！希望你也一次就过关。"

"谢谢，我也希望。"

从兰潭离开之后，我们去嘉义市区吃了晚餐。

在解除了陌生人之间的矜持端庄之后，我看见她快乐表情底下的真诚、开心时眼神闪闪发亮的直接，甚至是在激动时毫不保留地拍桌欢笑，都跟我想象中的不太一样。

原本我以为的她，应该是举止高雅，时时像是捧着名贵瓷器般小心翼翼维持自己的形象。

完全猜错。

而这真实不造作的一面，瓦解了我心中对她建立起来的虚假期待，构筑成一幅真实的影像。

仿佛夜空中的萤火已不再是宁静黑暗中的点点明灭，而是狂风骤起的山涧遍撒而出的璀璨。

10月8日那个星期六的夜晚，我披上了阿曦的影子，或者应该是说，川遥佳将那影子安稳地披在我身上，从那时候开始习惯，习惯失去的东西、不存在的东西，也渐渐开始认清真正存在的东西。

那习惯的过程在她自己的心中默默进行，从10月8日到10月16日，以别人无法知道的过程和速度在她心中流过，影子慢慢剥落。

那个人已经在加拿大了，用加拿大的晨曦和月光制造了新的影子，而她所眷恋的旧的、在这片土地上的影子，尽管拉得再长、浓度再深，终究已经不是那个人的一部分了。也没有谁会再与那影子结为一体，每个人都有自己的影子。

已经被带走的，不会遗留；心中还存在的，终究只是自己的编织而已。

不寄出的信（6）

阿曦：

兰潭还是那么美，站在那儿，想起你以前对我告白的时候……记忆鲜明得像水里的气泡一样浮现上来，而最后，也像那气泡一样破灭消散。

并不是想要完全忘记你，只是有必要采取新的姿态继续过下去。

你大概也不希望我一直在悲伤之中挣扎吧?

那样不坚强的我，还挺令自己不满的，如果要有生气的对象，那应该是你。因为你离开我了不是吗?

不过你放心，女孩子的无聊、任性我已经戒掉了，已经变得比以前坚强了。

没有人是该被怪罪的，那毕竟只是我自己心中的情绪需要有一个对象来宣泄才显得合理罢了。

想起你的时间渐渐变少了，那速度似乎有些太快? 好像显得我有点薄情似的。

不过，世间一般的标准我想没有必要去认真参考。因为你，我的确度过了相当难熬的暑假，我想，也许悲伤是在那时候被浓缩而密度提高了吧，可能我先把往后日子要慢慢悲伤的分量先集合起来体验过了。

不管怎么推测才是正确或合理的，总之，这是我的人生，不需要参考什么，不是吗？

我已经慢慢地变好了，希望你也是。

小佳

Chapter 7　这种事情是很讲求天分的

星期一下午，考完笔试回来之后，大家在休息室里等待成绩公布和接下来的路考。

"先公布笔试的成绩，没过的人就可以先回家了……大家都过了，恭喜。接着要公布路考的顺序，两点的时候开始考试。请大家不要紧张，放轻松去开吧！"驾训班的柜台小姐进入休息室对大家说。

我是第一个，运气真好，今天正好想旁听下午的某堂课，这下子赶得及了。

监考官拿着记录的纸笔坐在副驾驶座，后座是下一个要上场的考生。

　　我放下手刹车，从第一关倒车入库开始……路边停车、圆环、S形进退、红绿灯、上坡起步、直线加速，最后经过一个左转弯，通过红绿灯之后到达终点（也是起点），考试结束！

　　"嗯，明天下午到柜台领驾照吧！"监考官说。

　　离开驾训班之后赶回学校听课，在活动中心还是没看见紫衣女孩。

　　傍晚的健身房里回荡着摇滚乐和各种金属器材摩擦碰撞的声音，做完重量训练之后，我踩着飞轮，看着镜子中的自己……这就是别人看见的我吗？对于这个表象之下的我，别人是怎么猜测的呢？

　　已经半个月没看见紫衣女孩了，以后也不会每天去头桥，那我还有机会遇见她吗？我对她的想象正确吗？像猫一样的紫衣女孩，安静冷漠的紫衣女孩？

　　手机在口袋里震动，川遥佳打来的。

　　"考试顺利吗？"她说。

　　"嗯！一次就过关了。"

　　"我就说吧！没问题的。你在哪里？好吵！"

　　"健身房。"

　　"我问你，你是羽毛球校队的没错吧。"

　　"对啊……你上次查我的资料到底查得多详细啊？"我说。

　　"这个哪需要查？不是好好地写在学校网站上吗？那个不重要

啦……我有一个朋友想学打羽毛球，你介绍个朋友来教她吧，是美女啊！"

"找我就可以啦，反正我时间很多。"

"你不行。"

"为什么？"

"因为我说不行啊！快想一个人出来吧，星期四你上完课之后我们一起去吃午餐吧，到时候给我答案。"

虽然想到见羽，不过他不喜欢教初学者打球，就算是美女也没办法对他有影响，他脑子里全是那个外文系女生……算了，再问问校队的其他朋友好了。

离开健身房之后，骑车到大吃去吃晚餐。

在路边停好摩托车，正把安全帽和口罩放进车厢里的时候，有个人推着一张轮椅从我旁边经过。坐在轮椅上的男生右脚包着石膏，脸上的表情看起来倒是和平常人差不多，没有伤病者特有的阴郁笼罩，大概是车祸吧。

大学生骑摩托车发生车祸时有所闻，不过可不是每个人都这么幸福，可以有另一半照顾的。

推着轮椅的女生大概是他的女朋友吧，不然谁会在晚上将近 8 点的时候推着轮椅在大吃的马路旁闲晃呢？

真是幸福啊！两个人有说有笑，说些什么我听不清楚，但是那女

生的长相我却认得一清二楚——外文系女生！

要跟见羽说吗？摧毁别人心中的梦是多么残忍啊！

回家洗了澡之后登入 MSN，看见见羽在在线，我还在犹豫要不要将刚刚看到的情景告诉他，他倒是先丢了信息过来。

"完了，一切都完了。"他说，文字最后还附上一个哭脸。

什么？不会他也看到了吧！

外文系女生推着轮椅，那轮椅上坐着她的男朋友。我脑海中浮现见羽一脸震惊和落寞，默默戴上安全帽和口罩，发动摩托车离去的背影。外文系女生和她男朋友什么也不知道，有说有笑。

"什么东西完了？"

"这个……"见羽丢了一串网址给我。

看起来应该是网络相簿的网址，这是谁的相簿，外文系女生的吗？在那里面发现甜蜜合照了吗？

网页打开之后，有不少相簿列在选单上，见羽要我点其中一个。

果然！是那个坐轮椅的男生和外文系女生的合照！相片中的男生当然还不是今天这样受伤的样子。

那些相片有一起出去吃饭的，有和很多朋友聚会的，甚至还有看起来是和家长一起出门的。虽然大部分是很多人的合照，很少有两人合照的照片，但如果要说那只是普通朋友，只能说这个人死鸭子嘴硬没救了。

见羽当然不是死鸭子，他开头就说过"完了"。

"这是外文系女生的相簿吗？"我边浏览相簿边打出信息问他。

"不是，是她男朋友的……应该是男朋友没错，不承认也不行了吧！我查了一下，外文系女生自己应该没有申请网络相簿，她的相片都在她朋友和男朋友的相簿里。"

我继续看那些相片，相片底下都没有文字说明，只能依照相片呈现的样子去猜想。见羽暂时没有传信息过来，无法猜测他正在想什么，我则在考虑要不要将晚上看到的事情告诉他。

心理学家研究发现，一般人偏好将快乐分成多次来接受，每天一片可口的蛋糕胜过一次拿到一个大蛋糕；对于坏消息，则倾向一次得知，不想让充斥坏消息的生活时间拉长。

对于后者，我觉得应该要加上一个附注，也就是在冲击不至于吓死人的前提下才能那样做。

见羽还年轻，没有什么心脏病或高血压之类的重大疾病，我决定告诉他。

"啊！真的完了！这下子不会错了。"这是他听完后的结论。

我想象着他像泄了气的皮球，将背靠在椅子上，双手十指无力地摊在键盘上的模样。从 MSN 的联络人清单上还能看到他正在听陈小春唱的《我爱的人》。

不过事实上是如何我也不清楚，也许他正在听的歌不是《我爱的人》，而是陈奕迅的《婚礼的祝福》。真是虽不中亦不远矣啊！

现在不是幸灾乐祸的时候。

"真巧，竟然让我们在同一天的不同地点看见。"我说。

我最不会的就是安慰别人，后来也常有人这么说。不过还好他不是那种没有谁来安慰就站不起来的人。

"明天晚上有空吗？"他问我。

"有空啊，要做什么？"我问他。

"打球。"简洁有力。

"没问题！"

"6点，体育馆木板场地见。"

"一定到！"

再问什么都是多余的。

隔天下午我到驾训班去领驾照，晚上6点背着羽毛球装备到体育馆去。

踩着水泥阶梯上楼到木板场地去，见羽已经在暖身了。

上场之后，一直到晚上8点45分体育馆响起闭馆音乐之前，我和他都没有休息，一直在球场上来回冲刺。除了偶尔停下来喝水之外，其他时间都在球场上，暖身，练球，单打，找人双打，没有停止过。

球场上的见羽总是把平时的不正经全都收敛起来，今天更是完全专注在球场上，一次也没有去回应周遭的掌声或爱慕的眼光，语言此时是多余的东西。

离开体育馆，我们一起骑车到大吃去吃晚餐。

"你说昨天晚上在这里看到她？"在路边停好车之后，他问我。

"是啊！从那边……"我用手指出昨天看到的路线，"推着轮椅往校门口那个方向走过去了。"

他看着我的手指的方向，我在想，外文系女生是不是也从他心里走出去了呢？朝着未知的方向，前往和自己无关的地方去了。

"走吧！吃饭去啦。"我说。

见羽看着校门口的方向，好像那样看着外文系女生的影像就会浮现出来似的，但终于还是放弃了，转过头来。

吃完饭之后，我们从球袋里拿出扑克牌来打。

见羽用利落的手法将牌洗好，平均发成3份，多出来的摆在一边。我们各自拿起其中一份，一边打牌一边聊天。

"昨天我和川遥佳去兰潭。"我说。

"幸运草美少女，去做什么？"

"听她讲故事，后来去嘉义市区吃饭。"

"嗯。"见羽一副意兴阑珊的模样。

"打击有这么大吗？别这么夸张好不好。"我挑明了说。

"当然大啊！"他说着，打出一对 J。

"记不记得上次跟你提到的？"我接了一对 K，"我们放在心里面……说那个一点也就是暗恋的对象，我们想了老半天，搞不好根本是错的。昨天我跟川遥佳去嘉义，和她熟悉之后，我才发现我对她的印象根本是错得离谱。"

"然后？"一对 A 压死了国王。

"Pass，"我说，"废话就不说了，我讲结论。"

见羽打出一张红心 6。

"川遥佳说她有朋友要学羽毛球，问我能不能找人教她。方块 9。"

"找你不就好了？"他犹豫了一下，"黑桃 9。"

"她说我不行，我本来想说你应该也不会答应。不过……"一张红心 Q，"请你看着现实好吗？外文系女生有男朋友了，你从大一观望到大四。她现在才被追走已经很不可思议了，你现在要因为她被追走就失魂落魄，一点意义都没有吧！

"我认识的你根本就不需要那种浪漫情怀，那只是浪费时间，你自己说过的。而且说不定你真的了解她之后，会发现她根本不是你喜欢的类型。"

他无言地打出一张方块 2。

"川遥佳要介绍的朋友，至少兴趣已经跟你一样了，这很不容易，我们整天都在抱怨没有爱运动的女生，"红心 2，"现在不就出现了，还是美女！这是川遥佳说的，我先不保证。"

"教初学者很麻烦的啊！"他笑着打出黑桃 2。

"红心 7 ，"我整了一下牌，"8、9、10、J。不好意思，同花顺！也就是说你在考虑喽？"

"Pass！"他绝望地将牌反盖。

我打出最后一张红心 A 后说："Over！静候佳音吧！"

星期四早上 10 点 15 分的阶梯教室里，学生陆续进到教室里面。我习惯地坐在第三排，将背包放在邻座位置上，身体靠在椅背上，周遭传来闹哄哄的声音。在这大型的阶梯教室里面，如果不说是要上课，还真的和一般电影院的感觉没两样。

"嗨！我可以坐你旁边吗？"

就在我舒适地靠着椅背，差点要睡着的时候，一个女生的声音突然叫醒了我。

"小佳！你怎么会在这里？"

"无聊没事做，来旁听一下啊！中午不是要一起去吃饭吗？我先来陪你上课，不错吧？你睡着了我还可以叫你！你看你刚刚都还没上课就在打瞌睡了。"

我将背包放在脚边，小佳坐下之后，拿出笔记本，一副要认真上课的模样。

教授上台之后，教室就逐渐安静了下来。

过了半小时，原本要认真上课的小佳靠着椅背，就像看了太无聊的电影一样，沉沉睡去。

看着她睡着的样子，从长卷发之间隐约露出的耳朵轮廓一直延伸到脸颊、下巴，在颈部一带形成阴影；微微颤动的睫毛、轻轻闭着的嘴唇，看着看着竟让我有一种呼吸困难的感觉，让人想到高贵精致的艺术品……

她的身体突然动了一下，我赶紧将注意力移到讲台上。

11 点半下课的时候，小佳像是算准了时间似的，伸了一个懒腰，眨了几下眼睛醒过来。

"刚刚不是说要好好上课的吗？"我边收东西边说。

"我有啊，我不是说我来'旁听'吗？我在听啊，你以为我在睡觉？我连你刚刚在做什么都有偷偷注意呢！"小佳说。

真的还是假的？

"走啦，肚子饿了，我们去循迹吃午餐吧！我们第一次见面那里，还记得吧？"她说。

"我知道，我常去那里，"我说，"不过……我们第一次见面不是在那里。"

"好像是！"她笑笑，"没关系啦，知道在讲什么就好。"

还不到 12 点我们就到了循迹，店内只有一桌客人，我们在柜台跟阿姨点了东西之后，找了位置坐下，她拿了《苹果日报》来看。

"是填字游戏！这个我超拿手的！"小佳说。

"真的吗？那个平常都是阿姨在玩的，她玩剩下的空格我会帮她补齐。"

"意思是说你也很会喽？"

"没有啦，当然也有想不出来的时候。"我说。

"今天的都还是空白的，我们先拿来玩应该没关系吧。来，我考你，我看看……直栏的第二题……'三国时代辅佐刘备的军师'，4个字，这太简单了吧！"

"诸葛孔明。"我说。

"对啊！这谁不会啊？"

"这是给一般人休闲用的小游戏，题目很难的话谁还有心情玩啊？"

"也对啦！我再看看……横列的第四题，'现代引用来说明将好东西让给兄长的行为'，第一个字是刚刚解出来的'孔'。"

"孔融让梨。"我说。

小佳拿着笔继续她的填字游戏，我翻阅其他的版面，对我来说没有什么特别的新闻。

能够成为新闻，本身必须要是很特别、能够吸引大家目光、具有话题性的东西才行，但是，新闻上出现的东西也总是社会上某些角落的放大而已，那让我们在一瞬间注意到，往往隔天就忘记了，在路上看到美女或是奇装异服的人，也差不多是这样的感觉。

除非那真能在什么部分打动我们的心，让我们怎样都无法忘掉，越想忘掉反而记得越清楚。

"最后这个我真的不会了，投降。"小佳皱眉头嘟着嘴说。

"什么？"

"刚刚不是有一个'梨'吗？用那个字当第一个字，直栏的最后一题，题目提示竟然只有'闽南语老歌'5个字，出题目的也太偷懒了吧。答案是3个字，这什么啊？"小佳说。

"梨花泪。来，你们的意大利面和饮料。"

出声的是阿姨，她将我们的餐点送上桌来，轻描淡写地说出答案。

"哈哈，今天解决难题的是阿姨。"我说。

"深藏不露啊。"阿姨说。

吃着午餐，她翻阅着从杂志架上拿来的服装杂志。

"你以前来过这里吗……我的意思是说，常来吗？"我问她。

"不常，"她摇摇头，"这学期之前都没来过。"

"难怪以前没看过你，我常来这里……"我说。

"我问你。"小佳突然说话，眼睛从杂志转向我这边来。

"你问。"

"你有没有想过，我从一开始，其实都是在骗你的？"她说。

骗我，什么意思？她的眼神直直地盯着我看，若有若无的微笑背后不知道藏着什么秘密，我一时间无法回话。

"你没有想过吗？如果，根本就没有'阿曦'这个人呢？从头到尾，移民加拿大，分手桥分手，兰潭月圆的告白，都是我捏造的，你没有这样想过吗？"

说真的，我没有。

"那……你为什么要捏造这些？"我问她。

"如果说是为了接近你呢？"小佳故意停顿一下，就像擅长讲故事的人那样，"你不觉得奇怪吗？不觉得我讲的故事太不寻常了吗？还要你代替我的前男友，这怎么想都不是正常女生会做的事情吧？"

"的确是曾经觉得哪里怪怪的……不过，这个世界无奇不有啊，所以后来就没想那么多了，而且……"

"而且我说的故事都那么真实，对吗？尤其是兰潭的那一段。"

"嗯。"我眼神盯着桌面，陷入回忆。

小佳的眼神还是盯着我，视线在我眉心附近聚焦，再久一点说不定我的眉心处会开始冒烟。

门口的风铃声响起，我们同时看向那边。进来的人是那个外文系女生，我稍微有点惊讶，因为我从来没在这里遇见过她。然而，最让我惊讶的是川遥佳的举动。

"嗨！琪蓉。"小佳离开座位，去柜台那边和外文系女生聊天。

她们认识？而且看起来是不错的朋友的样子。这也太巧了吧！见

125

羽、我、小佳、外文系女生，这条线的距离近得让人无法置信。

哎，如果外文系女生还没有男朋友的话，这条红线我就牵定了！

外文系女生背着看起来很新的羽毛球袋，朝我这边看了一下，然后给了我一个陌生人的礼貌性微笑，我也回以一样的微笑。

拿了外带的饮料之后，外文系女生拉开门，向小佳说了声再见，然后再给了我一次那样的微笑。

"对了，其默的脚好点了没？"小佳问她。

"差不多啦！包石膏不是那么快就能好的啊。"

"嗯，帮我跟他打个招呼吧。"

"OK！再见喽。"

"再见。"

脚好点没？其默？那是外文系女生的男朋友的名字吗？琪蓉，外文系女生的名字，虽然和见羽在高中的毕业纪念册上面就已经看过了，但这还是第一次亲耳听见有人这样叫她，因为我和见羽都还是习惯叫她"外文系女生"。

小佳去拿了另一本服装杂志回到座位来。

"你怎么认识她啊？"我问小佳。

"我朋友啊……嗯？你怎么会这样问？一般人应该是用'那是你朋友吗'这样的问法吧。"小佳说。

"因为，我知道她啊，不算认识。她和我是同一个高中的，我知道她是外文系的。"

"嘿！你该不会是暗恋她吧？"小佳说。

"不是我啦……好啦，跟你说也没关系，是我同学……"

我跟小佳提起见羽暗恋外文系女生的事情。

"原来是这样啊。"小佳似乎还在脑袋里整理刚刚听到的事情。

"她也打羽毛球吗？"我问她。

"对啊！刚刚忘了介绍你们认识。她就是我上次跟你说的那个要学打羽毛球的女生啊。你想到人选了没？"我才要开口，她就抢先插话了，"对了！把你那个朋友和琪蓉凑在一起不就好了，哪有人暗恋这么久不行动的，像笨蛋一样。如果他们顺利的话，不要忘了我也有功劳！"

虽然她讲的是见羽，但我总觉得自己也被一并骂进去了……

"可是，她不是有男朋友了吗？"我说。

"男朋友……不是啦！你看到的那个脚受伤的'其默'是她的堂哥啦！"

"那网络上的相簿……"

因为觉得有点过，所以我本来不想提到相簿的部分。

"其默在网络上放他们出去玩的照片啊，就你们看到的那些，还有和家人出去的啊。该不会你同学以为他们已经交往得深入到和对方家人一起出去玩，所以感觉到完全绝望了吧。"小佳笑得很开心。

其实，她猜想得没错。

"他们平常在学校不太互相来往，因为系不一样，生活圈也不一样，不过最近因为其默受伤了，所以再怎么说，堂妹也应该出来照顾一下喽。"

"所以，外文……我是说那个'琪蓉'还是单身？"

"对啊，就是这样。其实我是先认识其默，再认识琪蓉的。其默是摄影社的，阿曦也是，所以说应该是阿曦、其默、琪蓉，这样的顺序。他们两个男生都很喜欢摄影，上次校内的摄影比赛还得了名次，其默拿到第一名，阿曦是第二。"

"你是说，从朱雀大桥上拍分手桥的那张吗？第二名的。"

"对啊！你知道？"

"那次比赛的展览我去看过，印象很深刻。其实我比较喜欢第二名那一张。"

"我也是啊。不过阿曦自己倒是不怎么在意。"小佳右手托着下巴。

"等一下，你刚刚不是跟我说，阿曦的事情是骗我的吗？"

小佳笑了一下说："那是骗你的！"

"那怎么还会有阿曦的事情？你都承认了就不用再编故事啦！"

"笨蛋！我是说，刚刚说骗你的那一段才是骗你的。"

这是在说绕口令吗？所以真的有阿曦这个人喽？

"机械系，林聿曦，真的有这个人，这样够清楚吗？不然我哪那么厉害，还去翻农历来编故事？如果是单纯要接近男生，漂亮女生不需要那么辛苦的好吗？"小佳用调皮的眼神看着我，"有人说过你很没有幽默感吗？"

"这……所以不是为了想接近我才……"才……什么呢？我竟然想不到接下去的话。

小佳耸耸肩笑了笑，不对这个发表任何意见。

"你和见羽下次什么时候打球？"她问我。

"星期天晚上6点啊，你该不会真的要……"

"我跟你说……"小佳用调皮的眼神看着我，开始说她的计划。

听她说完，我也开始期待星期天晚上了。余见羽同学，就麻烦你在痛苦的深渊中再打滚几天吧，星期天，救赎的光芒就会降临了。

"嗨！漂亮姐姐！"一个开朗的声音。

曹惠真，现在是星期四下午啊！

"你真的有在上学吗？怎么每次遇到你的时间都是下午。"我说。

"你也太夸张了吧，也没几次啊，"惠真转头对小佳说，"女生本来比较娇弱，粗里粗气的臭男生怎么会懂呢？是不是？漂亮姐姐。"

"至少也为学校着想吧，应该上学的时候穿着校服在大街上晃，学校的名声都被你毁了。"我说。

"今天两个人一起吃饭啊？"这小鬼完全忽略我的发言，又转过头来看我，"这样很好，就不会消化不良了。请我吃饭吧！"

"为什么？"我说。

"上次说好的啊，我帮你要到这位漂亮姐姐的名字和电话，所以你要请我吃饭啊！你们现在还坐在这里约会，我再多要一餐也不过分吧？"惠真说。

"小佳，你不要听她乱讲，我没有要她帮我……"我急着解释。

小佳倒是笑得很开心地说："你们真的不是兄妹吗？"

"不是！"我说。

"这么急着否认？"惠真说，"这种话要让女生说啊，男生这样抢着回答很没有礼貌！女生会伤心的，觉得你是不是讨厌我呢！漂亮姐姐，你没有告诉他吗？"

"以后我会记得。"小佳笑得很开心。

"好吧，好心的俏丽仙女今天不打扰你们约会了，两餐都让你欠着，下次再要喽！漂亮姐姐再见。"惠真说完就起身去找阿姨聊天了。

我想解释些什么又发现不知要从何说起，思绪完全混乱地搅在一起。

"人家的好意要好好接受，不然该付的代价还是要付啊。需要漂亮姐姐教你怎么跟女生相处吗？"小佳笑着说。

"你别跟她一样，太可怕了。"我说。

"会吗？她真的很可爱呀。"

我无言地看着小佳，看着她开心的笑容，我也跟着笑了。

空旷的羽毛球馆里回荡着木板场地震动的声音、尖锐的球鞋冲刺的声音，我和见羽在场边做热身运动。还有 10 分钟才 6 点，我们预约的场地现在有 4 个人在双打，看起来应该是某个系的教授。

"对了，川遥佳和她朋友等一下会来。"我跟见羽说。

"上次说的那个想学羽毛球的朋友？"

"是啊。"

小佳要我先别说出外文系女生的事情，这实在是让我憋得很辛苦，迫不及待想看到见羽的表情。

6 点一到，和见羽上场打球，我们这块场地的尽头就是球馆门口，我这边是面对门口的方向。

平球，抽球，切球，网前小球，杀球……用几种基本球路暖身之后，我们一如往常地进行不计分的单打。

几分钟的来回之后，我从后场切球吊至网前，见羽快步迎上前来，球拍平举端出，我原以为他要回敬我网前小球，便也箭步上前准备正手反击，却见他的手腕在眨眼的一瞬间下沉之后再倏忽一震！

糟了！是假动作！

刚闪过这个念头，羽毛球已经飞越我的头顶，直向反手后场而去！

重心被破坏之后，回身的时机也慢了，奔至后场勉力反手一抽！球质果然不够，见羽早就看穿了这球的路线，凌空而起，重重地一拍大力扣杀！即使快速回防，我也只能凭瞬间的直觉判断出拍回击，球却落在脚边，一动也不动。

"哟！长鞭撕裂空气式的杀球啊！"我说。

"亏你还记得那个。"他笑了。

"是啊！云间穿梭的游龙。"

"被你一说，怎么好像我是卖锅贴的……别闹了，再来吧！"他说。

场边的时钟显示着 6 点 50 分，球馆大门被推开，进来的人正是小佳和外文系女生。

"好，再来！"我微笑。

将球送回对场的时候我刻意出力，让球飞越见羽的头顶落到底线附近。

"啊，抱歉。"当然完全没有抱歉的意思。

"没关系。"

见羽一转身要去捡球，外文系女生就站在他的面前。

那一瞬间，我可以确定见羽的时间感完全被破坏了，一切应该都像停止了一样——外文系女生背着球具，从上衣、短裤到球鞋，穿着标准的羽毛球运动装备，站在那儿和他四目交接。

小佳站在旁边挥手跟我打招呼，我想见羽应该完全没看见她吧。

我走到中线附近拿起水壶喝水，慢慢地走过去。

"这是你朋友'见羽'吗？"小佳问我。

"是啊。"

"嗨！你好，你叫余见羽对吗？我叫川遥佳，这是我朋友陈琪蓉，她想要学打羽毛球，听说你是校队的，你可以教她吗？对了，她是外文系的！"最后那句真故意。

我不晓得见羽到底听见了没，他只是站在原地发出了一些"啊"、"嗯"之类的意义不明的声音，优雅的明星气质全消失了。

世上果然一物降一物。

"……好……好啊，一……一起吧。"

我怀疑他面部神经失控了。

"不好意思，我们要先走了，琪蓉交给你喽！"小佳说。

我把球拍和水壶都装进球袋里，拉上拉链。

"忘了跟你说，小佳的朋友来了以后，我和小佳要先离开。再见喽！"我背上球袋走了。

我和小佳离开羽毛球馆，留下一脸错愕的见羽，外文系女生倒是保持着自然的笑容，她应该完全不知道见羽的心里现在有多慌张吧。

刚入夜，许多学生从停车场和宿舍的方向往体育馆这边过来，或者是往排球场和篮球场的方向走去。

"你朋友的表情好有趣！"小佳说。

虽然感觉到些许的罪恶感，不过我同意小佳说的。

"要去哪里吃晚餐？"我问她。

"去嘉乐福夜市吧。"

"现在？很远呀，我还背着球袋，这样逛夜市很不方便。"我说。

"那个，就先放在我的宿舍啊，回来再来拿就好啦。"她说。

从停车场骑车到宿舍门口后，我将摩托车熄了火，坐在摩托车上等她，小佳背着我的球具跑进宿舍。

宿舍门口有很多像我这样停着摩托车在等人的学生，他们大部分都穿着一副看起来是要去打球的样子；或者是等着宿舍里面出现的某个女生，两个人约好了在这里见面，有说有笑地戴上安全帽之后，坐上摩托车离开，到哪里约会去了。

大约 10 分钟之后，小佳从宿舍里面出来，换上了黑色平底鞋，披着一件深紫色的薄外套。

"走吧！"我把安全帽递给她。

从学校宿舍出发到嘉义市的嘉乐福夜市大约二三十分钟，途中经过偏僻的民雄工业区。这里在白天常有大卡车来回奔驰，道路两旁是许多企业的厂区；晚上则像是某个被遗弃的村落一样，忽明忽暗的路灯，人车稀少的马路。

原来工业区是一种相当具有"时间性"的场所，入夜之后不仅人车稀少，就连温度都好像比较低的感觉。

骑上省道台一线之后，人车就变多了，经过嘉义基督教医院、麦当劳、肯德基，在加油站右转上博爱路桥。

下了陆桥之后，在一个有 5 条岔路的路口等了绿灯，左转向左前方的博爱路直骑了 5 分钟，左手边一个充满各种摊位、灯泡、叫喊声、烟雾（入口就是卖烧烤的）、人潮、摩托车、汽车的地方，就是嘉乐福夜市。

夜市旁边就是家乐福超市，所以取这样的名字吗……虽然说好像很正常，又觉得哪里有点装模作样的感觉。

在停车场停好了车，小佳将薄外套脱掉放进椅垫下的车厢里，在 10 月底的夜里骑车的确是有些凉意，但是夜市里面人声鼎沸，可能还会热到流汗。

这是个范围颇大的夜市，我肚子很饿，想要赶快找地方吃晚餐，但是卖吃的全都在比较里面的地方，外面全都是卖饮料、冰激凌、小饰品、小吃之类的东西，还有卖衣服的摊位，小佳也就走走停停，这边看一下，那边摸一摸。

"你看你看，那件衣服好漂亮！"小佳指着挂在架上的衣服说。

"嗯……小佳，老实跟你说，我肚子好饿。"

"啊？怎么不早说，那我们先去吃东西吧。"

已经超过 7 点半了，夜市里的人非常多，我们只能在其中紧紧靠着，慢慢移动，最后总算到了一个卖牛排的地方。

"我要吃牛排，你呢？"我问小佳。

"跟你一样，帮我要一杯红茶吧。"

我离开去点餐，取了两杯红茶之后回到座位。

"怎么想来夜市？我本来以为只是要去大吃或是民雄吃晚餐而已。"我说。

"很久没来啦！而且这里好远，平常除非特别和同学约，根本不会来。你以前会来这里吗？"

"会啊！只是真的很远，所以和你一样，自己一个人是不会来的。"

"等一下吃饱之后去打弹珠吧！那个我超厉害的！"小佳说。

"你是说最传统的那一种吗？"

"对啊！你怎么知道？好聪明！我最喜欢那一种了！等一会儿一起去玩。"

牛排上桌，我和小佳摊开手边的餐巾纸。"嗞嗞"作响的铁盘，慢慢变熟的荷包蛋，独特的黑胡椒香气，这是我从小时候就非常喜欢的景象，总是让人有种说不出来的简单的幸福感。不过，我对于把那荷包蛋顺利翻面却非常不在行。

就在我拿着刀叉，小心翼翼地试图将荷包蛋翻面的时候，小佳突然从对面以利落的身手用她手上的刀叉帮我把荷包蛋翻面，翻面之后的荷包蛋没有丝毫破损，简直是完美。

"天啊！你好厉害！"我真的很佩服地说。

"还好，这应该很普通而已。"小佳说着，也将她盘内的荷包蛋翻面。

这在我眼里简直是一种艺术，平凡生活中带着惊奇的小小艺术。

周围吃饭的人很多，有像我们这样的大学生，也有爸妈带着小孩来逛夜市的。不知道从哪里传来用大喇叭叫卖的声音，也有听起来像是游戏机的音乐声，隔壁两桌的小朋友吃饱了之后吵着要去玩，爸妈一边安抚一边起身准备结账。

"我问你。"

"什么？"我用叉子卷了一圈面条送进嘴里。

"你没有女朋友吧？"

"没有啊，这以前就说过了，到现在还是一样。"

"那……你有喜欢的人吗？"

"这……"

我有喜欢的人吗？紫衣女孩算是吗？其实，仔细想的话……我搞不清楚，只是一个学期又一个学期地巧遇，渐渐对她有种模糊的好感，但是那模糊的好感究竟该如何说明，让我很为难。

偶尔在网络日志上记录下看见她的情景、感觉，那么，我对她逐渐形成的好感会不会其实只是我心里面自己编织成的美好景象？那么，我喜欢上的，是真正的紫衣女孩，还是自己心中的投影？

"有点复杂。"我这样说。

"复杂？"小佳一脸疑惑，皱起眉头从对面看着我。

"好吧，跟你说也没关系。"

因为我觉得和小佳已经是不错的朋友了，所以跟她说这件事情没

什么关系。从大二下学期我见到紫衣女孩开始，一直到现在已经大四上学期了……这一段连暗恋都不知道算不算的过程。

讲完之后，小佳没有什么反应，拿起杯子又去装了一杯红茶，顺便连我的也一起。

"所以，3个学期过去，你连她是什么系的都不知道？"小佳说。

"是啊，见羽在认识琪蓉之前，我们就已经知道她是外文系的了，因为有时候会看到她穿系服，可是关于紫衣女孩，我完全不知道。"

"你……会不会是见到鬼啦？"

"这……怎么可能啦！"

"跟你开玩笑的啦。走吧，吃饱了，该去玩了。"小佳说。

她听完紫衣女孩的事情到底有什么感觉？完全没有反应真的很不像她的作风，但也因为这样，我觉得还是不要追问比较好。

就像她说的，她真的很会玩传统的打弹珠，一局10元，我们玩了3局，结果我拿到3颗糖果，她拿到3罐饮料，老板还拿塑料袋帮她装起来。

"小伙子，加油哟。"老板娘还损了我一句。

"你真的好厉害！怎么办到的？"

"拿着，"小佳把饮料拿给我，"这种事情是很讲求天分的，就像我看你连拿3次糖果也觉得很不可思议啊。有机会也教教我。"

又被损了一次，而且是自己挖坑给自己跳。

在夜市一直逛到 9 点半才离开，回到宿舍的时候已经是晚上 10 点了，小佳去宿舍把我的球具拿下来给我。

"嗯，谢啦！我先回去喽。"我从她手中接过球袋。

"好，路上小心，再见。"

离开之前，她似乎有什么话要跟我讲，欲言又止到了最后，还是只说了再见。跟紫衣女孩有关吗？总觉得我跟她说完紫衣女孩的事情之后，就有哪里不太对劲儿的感觉。

夜风已经明显变冷，在等红灯的时候我将风衣外套的拉链拉到下巴下缘。天气，会越来越冷吧。

不寄出的信（7）

阿曦：

今天我牵了一条红线。

上次陪我去兰潭的那个男生，他的朋友喜欢琪蓉很久了，竟然从大一到大四呢！却一直只是暗恋而没有行动！你大概会说他很胆小吧！因为你的个性是那么直率，对想要的事物总是迫不及待。

我让他们两个认识了，希望会有不错的发展。

至于这个男生，原本我觉得他给我的感觉和你有点像，但是……已经渐渐地不像了，毕竟是不同的人啊。就像站在昏暗的路灯下一开始会看错那样，情况渐渐明朗之后，就会看出绝对性的差异。

他不抽烟、保持运动、和我聊得来，跟他相处的时候很轻松、愉快；不过他没有你眼睛里面会射出来的那种对什么感到特别兴奋的光，也许是我还没看见也不一定。总之，他也有他迷人的地方，具体来说可能没有实例。

对于想要的事物，我和你一样，都是积极主动，不想浪费时间在原地踏步上面，也都这样鼓励着身边的朋友。但是今天我说不出那样的鼓励，反倒希望他继续踌躇、犹豫不前，因为……我已经被他吸引了。

你呢？有遇见吸引你的女孩子了吗？

小佳

Chapter 8　到底该往哪里去呢

坐在民雄车站的候车室里面。

一览无余的乡下小车站，磨石子地板，两个售票口，两部售票机，几排坐椅上坐着人或摆着行李，蓝框红字的滚动字幕在上方列出简单的乘车信息，只有两个月台，北上和南下。

下午 4 点刚过，空间不大的候车室很冷清。

"你也住台中？今天才知道。"我说。

小佳今天要坐 4 点 20 左右的车回台中，中午下课之后我就直接留在学校打发时间，下午载她过去。

"是啊。"她说。

"怎么不坐到嘉义车站再转其他的客运，这样比较快吧，一般人不是都这样坐车吗？从民雄只能坐公交车回台中耶，每站都停，很累人吧。"

"因为我以前都是和阿曦一起乘车回去的啊，他住在斗南，一起坐公交车可以有更多相处的时间，他在斗南下车之后，我就一个人继续坐到台中。回民雄的时候先打电话讲好要坐哪班车，我从台中南下，到了斗南，他就上车，我们再一起回到民雄。"小佳说。

"嗯，在一起的时间都要尽量想办法多出来，连回家也是。"

"是啊。"小佳轻轻地笑了。

那今天以后已经不需要这样了，不是吗？当然，我没有开口问这个。

"下次如果我也要回台中的话，再一起坐车吧！我也是习惯搭公交车的人。"我说。

"为什么？"小佳看着我问。

"因为比较便宜啊，而且搭公交车从来都不需要烦恼买不到票。90到100分钟的车程对我来说没关系的，在车上站着也不会特别辛苦，有位置坐的话就看看书、看看风景。"我说。

"刚刚自己才说一般人不这样做的。"她对我说。

"因为我不是一般人吧。"我笑着说。

"火车快来了，"她笑了笑，拿起放在脚边的行李，"我先走喽！记得星期天下午 5 点要来接我。"

"好。"我说。

目送她过了检票口之后，她回过头来对我微笑挥手，在那一瞬间，心中好像被什么感觉侵袭了，我也向她挥手说再见。

第一次，失落感。

回头走出车站，车站门口聚集了几辆出租车，司机们靠着车门抽烟聊天，问我要不要坐车，我微笑摇手示意。

过了马路到对面的"阿裕面包坊"去买面包，拿着托盘和夹子在不算宽的走道上挑选架上的面包，在前面的一个转角和一个戴口罩的女生擦身而过，紫衣女孩！

她今天戴着口罩，左手拿着白色盘子，右手拿着面包夹，从那外表完全判断不出她挑选面包时的心情，就像如果没咬一口，就无法得知面包里面是红豆还是芋头那样无法判断。

第一时间我就知道是她了！即使周围有再多的人，即使她也许不是那么出众，但她的影像就是会在一瞬间跳进我的眼睛里。

我脚步停顿，呼吸停止，眼睛睁大，然后故作镇定地移动脚步，真庆幸我还没忘记自己是来买面包的。

我从她身边走过，我看到她口罩上的眼神，依旧是那样没有表情的眼神，但是在第一瞬间，几乎无法辨识的一瞬间，她的眼神透露出"看见了巧合遇到很多次的陌生人"这样的信息，那一瞬间之后归于平静，

依然无言。

我的意识被眼神的交会完全填满，被她那几乎没有任何含义的眼神……

不是特别漂亮的女孩，眼神没有笑意，甚至冷冷的；穿着并不怎么华丽，牛仔裤加上帆布鞋，淹没在人群之后很难再显眼的女孩；瘦瘦的、随处可见的、不怎么引人注目的平凡身材；唯一出众的，大概是那外套底下难得一见的白皙皮肤。

但是，就是有这种存在！出现在眼前的时候，那一瞬间就会知道，对我来说，她就是百分之百的女孩！

百分之百，真的吗？在这个学期之前，也许我会毫不犹豫地说Yes！但是，现在那个百分比似乎被什么东西给动摇了……小佳那天在夜市的反应，原来我到今天都还在意着；刚刚挥手再见之后的失落感，确实击中了我的心。

如果说小佳是真实的，而紫衣女孩只是我心中的投影，那我的心是否已经开始倾向小佳了？但是，紫衣女孩的神秘让人想继续探寻。而且，小佳又是怎么看待我的呢？到了今天，她还是要坐上公交车去缅怀从前啊。

这一切让我觉得有些混乱，我放弃在这么短的时间内弄清楚的想法。到柜台结账时，才发现平常那个皮肤黝黑、笑容亲切的店员今天没有上班。紫衣女孩，也早就消失到不知道什么地方去了。

"嘿！我到家喽。"快 7 点的时候，小佳打电话来。

"晚餐吃了吗？"我问她。

"嗯，家里有准备，你呢？"

"待会儿要先去跑步，跑完之后再吃。"

"现在跑步不会太晚吗？"

"还好啦。"

"好辛苦的人生。"

"哈哈，太夸张了吧，只是跑步啊。"

"可是……你等我一下，我妈叫我。"小佳说。

电话那头传来一阵沉默，大约半分钟的时间。大概是小佳用手捂住话筒在跟她妈妈说话吧。

"先这样啦，我妈叫我去吃饭了。星期天记得去接我，再一起去循迹吃饭。"小佳说。

"我会记得。"

"再见喽。"

"再见。"我说。

对我的跑步，她"可是"要表达什么意见吗？

外面不时传来邻近楼友外出的声音，我也穿上风衣外套，系好跑鞋的鞋带，出门去了。

明天下午是校庆的开幕典礼，晚上将会有系际的啦啦队比赛。田径场上满是练习的人群，高耸的灯柱在田径场两侧完全点亮，跟我所习惯的晚上的田径场截然不同。

今天的跑步必须不时地闪开人群，虽然多少打乱了节奏，但我还是在跑了将近一个小时之后，才离开田径场。

所有的声响都留在身后，紫衣女孩不像是会出现在这种场合的人，川遥佳也根本不在学校，我一个人踏进黑暗之中，希望有些东西能在脑海里面整理出一个结论来。

因为在宿舍里东想西想的实在是无法好好冷静下来，于是隔天下午就到学校出版中心去看书。但是，这里才是更让人心神不宁的地方，"出版中心——紫衣女孩"这样的联系已经狠狠地把我制约住了，一进出版中心，就会情不自禁地找寻紫衣女孩的身影。

失望了，我带着失落去楼下的餐饮部吃我的午餐，然后又被莫名其妙的吸引力拉回出版中心，也许是一种下意识地坚持吧。

站在她偶尔会出现的书柜附近，其实那也正好是我每次会停留的地方。我面对书柜，抽出一本小说来看。

合上了书，身体不知道为什么地往右边转了135度，巧的是，原本在我的右后方有个和我背对背站立的人也往她的右边转了135度，于是就像相咬合的齿轮转到一个说好的地点之后，"咔"一声同时停止一样，突然间，一切都停止了！

不到5米的距离，我的眼神和紫衣女孩的眼神正好对上！一道电流，从眼睛流遍全身，最后狠狠地打在心脏的节律点上！

心跳开始不规律，呼吸开始紊乱！

齿轮逆转，两个人又回到书本上，要命！书上的文字全都变成无法辨识的符号在眼前扭曲！大脑内部全被她的影像占据了，无法再进行任何的思维！我把书放回书柜，试图调整呼吸，但是效果很有限。原来电流这种东西这么可怕！

我走到另一个角落偷偷地看她，对于这么懦弱的自己，除了叹气我也不知道应该怎么办。

"勇气"这种东西，鼓舞别人的时候可以讲到连朱雀湖都要分开似的豪迈；要自己去实行的时候，却变得比婴儿学走路都还不如。一会儿书柜，一会儿紫衣女孩，典型的偷看，带有懦弱以及惶恐的偷看，真要命！

紫色的外套，脚边紫色的包包，牛仔裤，深橄榄绿的帆布鞋，还有我一直觉得很棒的长发，正是她在我心中的典型印象。

她今天在看杂志，从封面判断是有关美容的，大概像一般女生那样吧！

看着那种很一般的，在书架上琳琅满目的与美容（或美发）相关杂志。没有翻页，没有再抬起头来，就那样静静地停在那页杂志上，

身旁又散发出那种特殊的冷漠氛围，让我忍不住怀疑刚刚的眼神交会是不是自己的幻觉。

除了巧遇，关于她，我什么都不知道，姓名、院系、住处、兴趣……一切都像是谜一样；然而最有趣的谜是，为什么我会被这样平凡、冷漠的女孩吸引了将近两年？

晚上6点多，我自己一个人走到田径场去。田径场上正在进行啦啦队比赛，从看台上往下看，一个系接着一个系轮流上场表演，喇叭里传出震耳欲聋的音乐声和播报员不知所云的内容。

大家看起来都很开心的样子，我却对这样的景象产生了不小的违和感。一直以来我都比较习惯安静的气氛，连田径场也是，这里不是我时常来跑步的场所吗？那个跑道上充满着与孤独还有毅力相伴的跑者的田径场呢？

我离开田径场走到体育馆附近去，体育馆像是沉默的巨兽一般，静静地伏在这山腰上的一个角落。从羽毛球馆里头透出来的灯光让我想到要打电话给见羽。

"星期天傍晚我要去车站接川遥佳，晚上不能去打球。"我说。

"没关系啦。"见羽说。

"你会去打吗？"

"会啊，外文系……那个……琪蓉会去啦。"

"啊！很顺利嘛！上星期打完球就继续约啦！该不会正好在庆幸我没去当电灯泡吧？"我故意这样说。

"怎么会，你可以和川遥佳一起来啊。"他说。

"好啦！再看看喽，再见啦！"我说。

见羽的语气中明显有藏不住的兴奋，我当然是不会去的，因为小佳不打球，我也不想去做电灯泡。

周末两天的时间不知道是怎么度过的，待在宿舍里面翻翻小说，准备一下期中考，上网无目的地浏览网页，听到楼友关门外出的声音才知道吃饭时间到了。

10月份即将结束，11月就要来了，天黑的时间一天比一天早，温度也一天比一天低。

这个学期将近一半要过去了，我拿到了汽车驾照……除此之外，我的人生……似乎还是在原地踏步的感觉。

对未来有不确定感，对现在感到不满，甚至是对于感情，也从来没有积极地去争取过，似乎是以一种"光会抱怨却什么都不做"的人生态度在活着。

这样的人到底该往哪里去呢？

拿起钥匙，出门去民雄车站接小佳。

川遥佳，因为一条幸运草手链而和我认识的女孩子，在我披上她前男友的影子之后，其实也没有多久的时间，那影子就渐渐淡掉了。

之后，她与"我"这个实体在进行来往，而我似乎也渐渐地被她吸引，至于她现在是如何看待我的，我实在是无法揣测。

紫衣女孩，一个对我来说像是谜一般的女孩，我深深地被她吸引，却在最近开始怀疑，会不会其实……我只是将一个虚拟的影子披在她身上，然后爱上了自己的投影？

傍晚的候车室里挤满了人，从月台那边走进来一拨又一拨的人，月台这边也站着许多等待的人。许多情侣见了面之后，开心地牵着手离开了，脸上堆满了幸福的笑容；而我在等待的，是怎样的一个存在呢？

"嗨！我在这里啦！"

循着声音望去，看见小佳还在月台那边就已经开心地向我挥手打招呼。

"等很久了吗？火车稍微晚点了。"小佳说。

"还好啦，这个时间难免的。"我说。

"我们去循迹吃晚餐吧。"

"好。"

离开车站，经过阿裕面包坊、民雄市场、民雄小学、7-11，在循迹的门口停好车，店里还有一半的位置是空着的。

"你周末都在做什么？"点完餐之后小佳问我。

"没做什么啊，就看看小说、准备一下期中考啊。"事实上做的最多的是第一句。

"你不是只修一门课吗？还要准备？"小佳说。

"还是要读一下啊。你不用准备期中考吗？"

"不用啊，我也没修什么课，期中只需要做报告，那个我早就做好了。"

闲聊一阵子之后，阿姨将我们点的小火锅送过来，我们暂时没有说话。

"星期四那天，在搭电车回台中的路上，我在抵达斗南站的时候下车。"小佳说。

对于这个我没有回话，因为我知道她的话还没讲完。她去拿了另一个碗，把两颗蛋的蛋白倒在一起，再将蛋黄加到各自的酱里面，我们拿起各自的筷子搅拌。

"谢谢。"我说。

"在那里下车之后，我在月台上走过来走过去，这时候才发现，我以前从来没有在那里下车过,以前都是跟阿曦说了再见，我看着他下车，然后他会回过头来跟我挥手说再见，直到火车开走了他才离开。

"我站在那里面对铁轨想了好久，原来站在这里跟我说再见就是这样的感觉吗？为什么以前从来没有和他一起下车呢？就算只是在附近逛逛也好啊？为什么呢？为什么他也没想过要和我一起下车走走呢？

"想着想着，不知道为什么有点生气，又对自己的生气感到好笑。

你能明白那样的感觉吗？"她说。

我没有回答，她的"你能明白那样的感觉吗"不是对我问的，只是冗长说明之间的一个过渡句而已。

"我在那里等待下一列北上的电车，上车之后，我就决定以后再也不搭电车回台中了。下次，像你说的那样，我们一起搭电车南下到嘉义站，再转乘客运回台中吧。"

"好啊。"我点点头，轻轻咬着筷子说，眼前的火锅开始沸腾。

"星期四那天，后来你去跑步了吗？"小佳转了话题。

"对啊。"我想了一下才想起来，那天的田径场上到处都是练习的人群。

"那天我本来想问你，那个时间才去跑是不是太晚了？"小佳说。

"还好啦，那时候才7点啊。"

"难道还有更晚的时间才去跑的吗？"

"暑假在学校念书那阵子，有时候是晚上10点才去跑。"

"10点？"小佳面露惊讶。

"对啊。"

"跑步不是很无聊吗，一个人在跑道上孤零零的，感觉很可怜耶！你都跑多久啊？"

"不一定，半小时到一小时都有可能。"

"不管什么天气？"

"下雨天就不跑啦。"

"天气很冷的话呢？"

"很冷的话还可以跑，很热的话就不行了。因为就算很冷，跑着跑着就会自然暖起来，但是很热的话是会中暑的。所以都是傍晚之后跑，傍晚之后不可能太热。"我说。

"真了不起。"小佳说。

"了不起？什么意思？"我问。

"很有毅力啊，一个人跑步跑那么久，天气冷也跑，三更半夜也跑，简直是在训练自己忍耐孤独的能力。"

"嗯……"我稍微想了一下，"其实不能说是忍耐，因为慢跑对我来说，本来就不是太无聊，而且我也很习惯自己一个人，所以孤独并不是需要被特别忍受的东西。"

"难道不会想要偷懒吗？"

"当然会啊，我也是正常人啊，有时候也会想，今天真的好冷，还要换衣服出门好麻烦，好晚了，不如来吃个消夜……会有很多念头冒出来。"

"但是又想着一定要去慢跑？"

"没错，"我说，"脑袋里面会有不一样的声音，但是要让自己尽量不屈服于邪恶的那一边。"

"脑袋里面有天使与恶魔在对话。"小佳笑着说。

"差不多是那个意思。"我也笑了。

"天使和恶魔谁经常获胜？"

"到目前来看，还好是天使经常获胜。"

"天使会说些什么让你克服恶魔的邪念？"小佳问，"如果是我，就算天使跟我说跑步可以让身体健康、有好的体力，恶魔这边还是会获得压倒性的胜利！"

"哈哈，我想一般人都是这样的吧，"我说，"其实，你要我说为什么坚持跑步，我也说不出个所以然来，可能是因为我一直在练球吧，维持体能已经变成一种习惯了。

"说真的，恶魔这边的理由确实有很多啊！但是，有时候只是不想输给懒惰而已。只要一次不去跑、两次不去跑……渐渐地就会越来越懒惰，会生出更多理由瘫在宿舍里不动。"

"所以不管时间、温度，都尽量克服吗？"

"是啊，虽然偶尔还是会偷懒，不过，我想基本上还是能对自己交代得过去的。"

小佳看着我，露出笑容，好像思考了一下，喝了一口饮料之后才开口。

"阿曦不会这样，"小佳说，"他是属于轻松过生活的人，整天叼根烟，背着摄影器材四处走动，运动对他来说是另一个世界的生活方式。"

"我想是追求的东西不一样吧？"我稍微思考了一下，"听说喜欢摄影的人会为了一个景点上山下海，为了一个镜头费心等待，这样的耐力我就没有了。"

"那你呢？你这样子跑步是为了追求什么？"

"除了维持体能和健康之外，老实说，我不知道，有点像是上瘾了吧。"我说。

"上瘾？"小佳说，露出不可思议的表情。

"嗯，我好像没跟你提过，今年 3 月的时候，我的左脚踝受了严重的伤，骨头都移位了，当然没办法跑步喽。

"但是那时候并没有因为可以偷懒就很开心，相反，我时常会被想要运动的念头搞得非常焦躁，到了暑假可以正常运动的时候，才深深感觉到原来自己对于跑步已经上瘾了。

"那是一种……不想输给什么东西的感觉吧，但是连那东西是什么我也说不上来，如果要说成是在追求什么的话，那就更难说明了。"

"你的思考方式非常独特。"她说。

"是吗？我不知道别人都是想着什么在过生活的，去关心那些……老实说，我觉得很浪费时间，我只是尽量自然地照自己的方式在生活而已。"

"但是没有目标？"小佳说。

我愣了一下，看着小佳。

"只是让生活看起来正在进行一些积极的事情，其实心里并没有确实的目标。"小佳再补了一句。

"你有看穿人心的能力！"我笑了出来，"可能就像你说的，我其实并没有确定的目标，只是看起来用了一些认真的方式在过生活而已。"

"就连对待爱情，你也是这样子吗？"

这一连几句让我应接不暇，句句直击要害。

就连对待爱情……对紫衣女孩，除了巧遇的惊喜、写写网络日志、在心中想象，好像也就没再做什么了。

看起来做了很多事情，却不敢直视目标，总是在不着边际的地方打转……

对川遥佳，渐渐熟悉之后，不可否认的是自己心里对她有好感，但是除了像这样继续相处，也没打算再进一步。

只是让日子一直过下去，没有去追求什么，让一些意外的结果，在意外的时间点和自己产生碰撞。

不积极，很被动。

一连串的思考让我没有回应小佳的问题。

"你怎么了？"小佳问我。

"没什么。"我说。

"刚刚的话好像有点过分了，我向你道歉。"

156

"没有啦，只是刚好想到一些事情。"

"你的坚持和毅力对我来说都是很了不起的，我真的这样认为。如果这样的坚持能用在什么目标上的话，一定很棒，"小佳像在鼓励似的说，"只是缺乏勇气而已。"

只是缺乏勇气而已。我把这句话在心中重复了一遍，的确很有分量的一句话。

"我和你不一样，"小佳继续说，"勇气我有很多，想要什么就开口去要、伸手去拿，就算被拒绝了、碰壁了，下一次再试就是啦！或许，试了之后才发现根本和原本想的不一样，早点发现错误也是好事。

"不过我没有你那样的毅力，我的尝试不会太多次，不想在没有结果的事情上浪费时间，人生还有很多别的目标可以追求。"

我稍微思考了一下，也许正如她所说的，我缺乏的是勇气，对很多方面来说都是。

"你说得很有道理。"我说。

小佳看着我笑了笑，没有再说什么。

店内不知道什么时候客满了，充满着大学生活泼的笑闹声。我和小佳没有太多交谈，各自吃着火锅，偶尔她会把不吃的东西丢到我的火锅里，然后露出调皮的笑容。

这时候我明确体会到，我和她之间已经完全没有不熟悉的紧张感了，不需要担心冷场，不必刻意找话题，眼神和笑容之间已经有了某种默契。

"筱语！"小佳突然往门口那边望去，离开座位。

由于室内实在太吵，我根本没有听到门口有人进来的风铃声，听到小佳的叫喊，这才随着她的脚步望向柜台。

我不敢置信地倒吸了一口气，小佳打招呼的对象，竟然是紫衣女孩！

小佳和紫衣女孩没有聊太久，我第一次见到紫衣女孩的笑容，第一次见到她与别人交谈时的表情，第一次听见她的名字，知道这些，竟然是在这样的状况之下。

紫衣女孩往我这边看了一眼，带着交谈之余尚未收敛的笑容，我一时之间不知该如何反应，想回以笑容，但没能顺利完成，僵住的表情停在原地。

紫衣女孩付了钱之后就外带饮料离开了，离开前还往我这儿看了一下，这个多余的动作让我闪过一堆思绪！

她也知道我吗？也知道我们是常见面的陌生人吗？或者只是一种好奇的回眸？我看着她的紫色包包、紫色外套消失在门后，不知道她究竟有多少种不同的紫色包包和外套？

"你认识她？"小佳回到座位后，我问她。

"同班同学啊，不过不是很熟，她很神秘。"小佳说。

"你们同班？"我大感惊讶。

"对啊，历史系啊，她跟我一样大四，她……"小佳说到一半的话像在真空中突然消失一样，她转向门口再转回来看着我，"难道……她就是你说的'紫衣女孩'？"

"嗯，就是她。"我说。

第一次有人在我提及紫衣女孩的时候，见到她的庐山真面目，而这个人，竟然和她是同班同学，最要命的是，这个人现在跟我的关系……正处在一个相当微妙的阶段。我不禁有点后悔，刚刚是不是不要问，就装傻过去呢？但是已经来不及了。

小佳低头看着自己摆在桌上交叉的双手手指，仿佛是一个指节一个指节细心算着什么，在那段时间里，我想说些什么，却找不到适当的话来开口，只好看着她微微闪动的目光，而那颤动的长睫毛似乎在阻挡眼神的信息外露。

"我以前听你说的时候就应该想到的，紫色外套和紫色包包啊，怎么没想到呢？"小佳说，"不过她实在是一个很神秘又很低调的人，从大一到现在都是，不太跟系里的人来往。大家都不太知道她私底下是怎么样的人、在做些什么事情，不过见面的时候倒也不会显得冷漠。"

"我刚刚听听到你叫她的名字。"

"嗯，刘筱语。真有趣，你说你的朋友之中没人见过她吧？"

"是啊，你是第一个。"我说。

小佳笑了笑，对于这"第一个"似乎没有什么感觉。

　　我们没再继续谈紫衣女孩的话题，这个微小的默契似乎共同在闪躲某样东西。我们回到晚餐上，有一搭没一搭地聊着，店内的人渐渐离去，我们桌上的东西也都收走了。

　　有一件事情，我实在是克制不了询问的欲望，终于还是开口了。

　　"你知道……就是上个学期啊，她不是脚受伤了吗，那时候……好像偶尔会有一个男生陪着她走一段路……那个……"实在是无法好好把问句组织好。

　　"不知道是什么原因，总之受伤了，不过听说不怎么严重……陪她走路的男生……这我就不清楚了，是追求者还是男朋友？都有可能吧，不知道。"小佳说。

　　紫衣女孩竟然连在自己班上都是这么神秘的人，我一直在想应该还要问点什么的，但是一时之间理不出头绪，小佳已经整理好东西，往后推开椅子站起来了。

　　"走吧，我想回宿舍了。"小佳看着门口。

　　"好，走吧。"

　　回学校宿舍的路上，小佳没有开口说话。到了宿舍楼之后，用一个美丽的微笑表示再见之后就转身离开了。

　　回民雄的路上，在平交道前被挡了下来。刺耳的警报声响起，左右交错闪烁的警示灯在眼前晃动。不知为何，那让我想起杂耍的小丑，而且是看着看着会逐渐令人生气的那种小丑。

一列自强号列车从眼前快速通过，不在民雄车站这样的小地方停靠。想搭上自强号的人，必须要想办法南下到嘉义车站或是北上到斗南车站才行，一直待在民雄车站的人，只能坐上慢吞吞的公交车。

眼前的栅栏升起，警示灯和警报声随之熄灭，过了平交道之后，民雄市区的短暂夜生活在眼前展开。

和台中不一样，民雄市区的夜生活到 10 点左右就结束了。没有人潮，或许有些微热情，但是不华丽，也不长久，只能自己试图从中去寻找一些有趣的东西。

总之如果不主动一点，不管哪里的景象也都只是过眼云烟而已。

寂静的午夜里，连自己的呼吸声都听得一清二楚，川遥佳、紫衣女孩……两个人的影像在我脑海中交替……

手机声响起，这么晚了……小佳打来的。

"这么晚了还没睡？"我问。

"嗯，那个，我要跟你说一件事。"

"什么事？"

"我会有一段时间……不跟你联络……请你见谅……"她好像在空气中找寻话语似的，"我要去处理一些我和阿曦的事情……只是想跟你说一声……过一阵子……我再跟你联络。"

我刚要说些什么的时候，电话就挂断了。

我看着手机发呆……不跟我联络？处理和阿曦的事情？过一阵子再跟我联络？为什么？无数的问号得不到解答，只有一个确实的感觉……心里，有地方被挖空了……

不寄出的信 (8)

阿曦：

为什么你以前从来没有要我和你一起在斗南下车呢？就算只是走走也好，为什么你从来没有那样做呢？

前几天我一个人坐电车回台中，到了斗南的时候，就像着了魔似的，我走出电车，在月台上站定，看着眼前的大字"斗南车站"。

那是不用看也能知道的，那是只要从民雄上车，坐在电车上凭身体感觉就自然可以知道的事实，因为我们一起搭车北上已经好多次了啊。

我在月台上面对铁轨，想象着你站在这里对我说再见的心情，我没能好好掌握，因为我感觉到有点生气。

为什么我们不曾在这里一起下车走走呢？走出车站外去吃个饭也好，四处逛逛也好，这不是理所当然的吗？

你从来没有牵着我的手一起下车，我也没有要求过，这时候我突然惊觉，是不是哪里弄错了？我们是不是一直忘了这简单的却像神圣仪式一般的重要行为？

我弄不清楚是对你生气，还是对自己生气。

月台上有个站务人员吹了哨子引起我的注意，他一边快步走来一边挥手要我退后，脸上很紧张的样子。也许是误以为我想做什么傻事吧。

坐上下一班北上的电车回到台中之后，我发现我再也不想这样搭电车回台中了，不想再看到电车的门在斗南站开启的样子。

小佳

Chapter 9　所有东西都染深了一层颜色

10月结束了，11月带来了更快的天黑速度与更低的温度。

学校进入期中考周，对于大四的学生来说，如果没有修什么课的话，其实跟平常也差不了多少。

打电话给见羽，想找他出来吃饭，没想到他竟然回台中了。

"你不是很少回台中吗？有什么特别的事情？今天不是周末啊。"我在电话中问他。

"我自己是没什么事啦！我是陪那个……陪琪蓉回台中啦！"

"你们进展也太快了吧！才认识一个多星期，打过几次球啊？就一起坐车回台中啦！"这跟他从大一暗恋外文系女生一直到大四的保守态度截然不同。

"这……还好啦,她刚好有事情要回台中啊,就陪她一起嘛,反正我也很久没回家了。"

"好啦,等你回民雄再聊吧。"我说。

虽然小佳说过一阵子才会跟我联络,但我偶尔还是会试着打电话给她,结果是怎么都打不通。她就像突然躲进黑暗洞穴里面,说什么都不愿意现身的小动物一样,我完全联络不上她。

这段时间,她要做什么?要去哪里?为什么不跟我联络呢?处理和阿曦的事情是什么意思?难道是阿曦回来了?脑中一闪过这个可能性,竟有一股焦躁和愤怒油然而生。

胡思乱想也没用,也许应该躲进洞穴里面的人是我,我应该好好地思考一些事情才是。

11 月的第一周,淡淡的雨覆盖着校园,将所有东西都染深了一层颜色,连校园里面因为期中考而焦虑的学生,看起来也似乎更为不安。

我周遭的人几乎都不需要期中考,但他们却都消失了。

考完期中考那天,11 点 35 分,雨后的迷蒙水汽覆盖着万物,朱雀湖面、分手桥、天鹅、鸭子、不知名称的花草树木全都罩上了一层薄薄的白纱,然而却比平常更令人感到鲜艳清晰,好像各种情绪都被洗去了表层的伪装,以更直接的方式展现出来。

出版中心里没见到紫衣女孩,一想起她,就让我想到小佳。

"现在情势看起来有点混乱！"索尔说。

在出版中心找了位置坐下，随手拿出一本小说，其实没看，只是装作要看而已。

"紫衣女孩和川遥佳吗？似乎的确是这样。"我说。

"你自己怎么想？你喜欢川遥佳吗？"

"我喜欢川遥佳吗？"我又问了自己一次。

"还有紫衣女孩，其实你根本不认识她啊，你自己也知道，'对她有好感'这件事情如果要好好解释的话，根本无从说起，分析清楚之后说不定就像泡沫一样化为虚无。但是和川遥佳的相处，却是不容置疑的完全真实。"

"理性讨论的话，我也知道这样的事情……但是对紫衣女孩……就是有一种……我不知道该怎么说的感觉。"

"哎，也许只是一年又一年专注的眼光，让你自己心有不甘而已，让你想在这件事情上面，有个期望的结果，是吗？"

"期望……期望什么呢？"

雨停了，我离开出版中心，自动门无声向右滑开，迎面而来的只有雨水的气味。

过了一周，我放弃了试图联络上任何人，搞不好大家是说好了等雨停之后才要从洞穴中出来也不一定，在这之前，大家都各自想着自己该理清的事情。

到了学校，还有 10 分钟上课。刚走过朱雀大桥，紫荆花树在眼前一路展开，因雨而下的落英缤纷仿佛花树倒影般铺在地砖上。

今天比平常提早了 20 分钟下课，学生们像是潮湿土壤底下的不知名生物一样，轰隆轰隆地走出阶梯教室，各自转向不同的方向去了。

我像被指南针指引着一般，一路往出版中心前进，出版中心里有构成北极的要素，又冰冷，又吸引我，我像是宿命般被吸引过去，有一种会遇见紫衣女孩的直觉。

走进出版中心，直望过去就是杂志柜，不过紫衣女孩并不在那里。

今天出版中心里的人非常多，我找了位置坐下来，习惯性地看了一下摆着书桌的那一区，好熟悉的背影！白色上衣、披泻而下直达腰际的长发、纤细的身躯、紫色提包！是她！在离门口最近的第一个书桌坐着的正是紫衣女孩！

走到附近书柜，选了一个角度，我拿起了《伤心咖啡店之歌》，翻到最后，开始看读者与作者的对话，这是在旧版当中没有的部分。

白上衣、牛仔裤、绿色帆布鞋，紫色提包像睡着的猫一样在她的大腿上安稳地躺着，盖在上面的不是紫色外套，而是绿色系的外套，然而，紫衣女孩还是紫衣女孩，这点不容置疑。

桌上摆着一份像是讲义的装订起来的纸张，翻过了几页，紫衣女孩拿着笔盯着讲义瞧，整个人简直就像那在她大腿上像猫一样安稳的

提包一样安稳着，这就是深深吸引我的、属于紫衣女孩的氛围。

桌上还有一罐鲜豆浆，因为底下垫着折过两折的塑胶包装（应该是便利商店的面包），所以豆浆有点倾斜，紫衣女孩偶尔像想到似的拿起来喝一口，然后轻轻放下，让它继续倾斜。

就在我用着三分心思看着《伤心咖啡店之歌》里面提到"地底三万尺"的时候，她突然抬起头来偏向左边，我的眼神像做错事的小孩一样赶紧回到书上，手上的书滑了一下，差点掉到地上。

等我拿好书之后，紫衣女孩正看着她正前方的空气，好像在用意识跟虚空中的什么进行着对话一样，我从她的眼中突然捕捉到了一瞬间的光彩！

只有一瞬间，她眼神中的意义一瞬间从零跳到非零，下一个瞬间又再度归零，简直像流星一样的光彩一瞬，还来不及许愿，流星已经消失。我还来不及辨识，那眼神中的意义已经不见了。

晚上坐在电脑前写着网络日志，将自己对紫衣女孩的印象记录下来，回顾从这学期以来对她的记录，一个冷漠、文静、优雅的纤细女孩，紫衣女孩——虽然最近知道了她的系和姓名，但是对于我对她的印象则是几乎没有影响。

然而，那是真的她吗？会不会只是一个片面？或是根本是我自己的想象，距离真正的她有着无法揣度的差距？

"如果不采取一些主动的话，这样的差距只会持续下去。"

不知从哪里传来这样的声音。

阴雨绵绵的天气长得让我开始怀疑：哪有下这么久的雨？该不会只有我在的世界才在下雨吧？

见羽的电话打破了我的胡思乱想。

"死掉以后可以一直睡，活着的时候不必睡太多。起床了没？吃午餐啦！"电话那边的他很有朝气地说。

"早就起床了，都几点了，你回民雄啦？"

"是啊，半小时之后在循迹见吧。"

"好。"

骑车离开住宿的地方，乌云覆盖着天空，虽然没有下雨，但深灰色的柏油路，都让人知道已经很久没有见到太阳了。

循迹内越来越多的人点火锅了，沸腾的烟雾和香气弥漫在室内，与室外的冷意完全隔绝。

"你什么时候回来的？"我用筷子翻动着火锅内的食材。

"昨天晚上。"坐在对面的见羽说。

"你这一次回台中待了快两个星期？"

"是啊。"

"你平常不怎么回去的啊，这次怎么了？有什么特别的事情，该不

会只是因为外文系女生吧？"

"对啊，就是因为她。和她一起回去、一起回来，反正我也没什么特别的事情。"

"那在台中也见面吗？"

"当然有啊，她也住台中市，骑摩托车的话不算太远，所以还是会一起出来吃饭啊。"他得意地说。

"你进展也太快了吧，才认识没多长时间呢！打了几次球啊？"我问。

"说到打球，那天你真的把我整惨了！你和你那个朋友就那样潇洒地离开，我有多尴尬你知道吗？"

"我不知道。"我把一片牛肉丢进锅里。

"那天搞得我好像不会打球一样，身体都打结了。"

"啊，真是可惜，我应该和小佳留下来看的，那肯定是难得一见的画面。"

"少在那边幸灾乐祸。"

"她是好相处的人吗？我说外文系女生。"

"嗯，"见羽喝了一口红茶，"很放得开的女生，不会扭捏。"

"那可真好啊，不然和你搭在一起就糟了。"

"这是什么话？"

"本来就是啊，如果她也和你一样放不开，那不就完了！"我说。

"乱讲！我也只有对她才会放不开啊，平常的我可是——"

"你对别人都放很开有什么用？"我打断他的话，"后来呢，怎么进展的？"

"那天打完球就一起去吃饭，聊天啊，后来还约了几次打球。"

"然后就一起坐车回台中了？"

"直接一点讲是这样，没错。"见羽说。

"看起来非常好啊！那你跟她说我们之前聊过的事情吗？"

"什么事情？"

"以前念同一所高中啊、你从大一就开始暗恋她啦之类的。"

"同一所高中我说过，她也回去看了毕业纪念册；暗恋……这个我没说那么直接，我是说'注意'到她。"

"差不多啦，女生听不出来就脑袋有问题了，"我说，"所以看起来很顺利喽！什么时候告白？"

"没这么快吧，才认识 3 个礼拜耶！"他说。

"你也会担心这个？"我说，"这是'质'的问题，不是'量'的问题，OK？才 3 个礼拜又怎样，一起打球、吃饭，还一起坐车回家，差不多了啦。还是你想要走'自然而然手牵手'那种路线？"

"还没想那么多啦，你呢？紫衣女孩呢？"

"上星期曾看到她啊，在学校出版中心。"

"谁问你这个啊！我是说你什么时候行动？你想想看，如果在毕业

前不做些什么，很快就毕业啦！"

"哎，一想到这个我就心烦意乱。对紫衣女孩，我真的很害怕会从零变负，不认识就算了，如果被讨厌，那感觉更不好。"

"可是，本来就什么都没有，何必怕这个？"

"真不像你会说的话。"我笑了。

"是啊，以前都害怕这个害怕那个，到头来一无所有。要不是那天你和川遥佳半强迫地让我和外文系女生见面，到现在我们应该还是在抱怨各自的无能吧。"

"所以你现在要回过头来鼓励我喽？"我说。

"当然啊！"见羽说，"其实我们以前都在担心一样的事情。"

"担心从零变负？"

"没错，不过仔细想想，如果踏出一步的话，你要做什么？"

"这是好问题。我想要认识她，慢慢地认识她……也许，先是让自己少一个遗憾吧？再来，尝试着了解深入一点看看……"我说。

"这学期已经过一半了，下学期还能不能有巧遇都不知道。你想想看，现在不开口的优缺点是什么？开口的优缺点呢？"

"开口，可能连巧遇这样的幻想空间都丧失了，连静静地看着她都没办法了；不说，就继续这样默默地欣赏。但是，说了之后，也许会有认识的机会和无限发展的可能。就是因为各有好坏，才难以抉择啊！"

"机会成本的问题。就利益面来比较的话，发展有无限的可能，我

觉得价值还蛮高的耶！虽然说也有可能被讨厌啦！可是你想想，是被
一个你不认识的人讨厌呀！她还没认识你就讨厌你了，这样的人真的
适合你的 style 吗？"

"今天的话真不像是会从你口中说出来的，不过，你好像说到某些
关键了……"我陷入沉思。

见羽吃着他的火锅，和外文系女生的认识给他带来了很大的改变，
过去那个和我一样却步不前的人现在来鼓励我。

他说得没错，我担心的只是一个幻想的破灭，既然是幻想，破灭
了又有什么关系？如果紫衣女孩还没认识我就先讨厌我的话，那我有
必要觉得怎么样吗？

"那你跟川遥佳呢？你跟她也很要好吧？"见羽说，"以前没有问
过太多你和她的事情，不过现在看起来似乎是不错的样子。从你代替
她男朋友之后发生什么事情了？"

我跟见羽描述了这段期间我和小佳的相处，好像同时也在帮我自
己回忆似的。

"她说要去处理她和她前男友的事情？"见羽说，"可是她不是说
过那个人移民了，不会回来了吗？"

"我也觉得很奇怪啊，会不会是有什么变化？"我说。

"突然又要回台湾住了？"

"有可能。"

见羽沉思了一阵说："无法理解，看来只能等她再和你联络才能知道了。"

"只能这样了。"

"身为朋友，不管是紫衣女孩或是幸运草美少女，我只能告诉你……"见羽将筷子并拢放在碗上，看着我，"别因为怕失去就不敢付出啊！"

雨像没完没了似的继续下了一个星期，若有若无的雨和阴沉的天空让夜的感觉更加漫长。感冒的身体和所有的事情让我有点混乱，直觉告诉我，这不是可以找小佳讨论的事情，更何况我找不到她，她也一直没有联络我。

我只能在网络日志上试图用文字整理自己的想法。

对我来说，从外界所吸收的一切，有时候如果不以文字的方式来表达是无法完整掌握的，抱着那种混混沌沌的感觉活下去，说出来便成了支支吾吾。

姑且不论接收者是何种感受，对于自己就已经无法给出一个及格地交代了，我有时候甚至会对这样的自己感到不满。

每当我尝试着转换脑中的什么成为文字时，一开始会有些吃力，但如果越过了某种无形的临界点，那情况将完全逆转。这时候变成眼前的文字在操纵我的双手、我的大脑，文章本身利用我这个媒介来完整地表达文章本身。

所以我在网络日志上记录了紫衣女孩，不只是一篇一篇零碎地记录，更重要的是一种重整，对我自己内在的重整。

抱着混混沌沌的感觉过了几个月，看了过去的记录，如今觉得时候到了，梦想需要靠自己去检验。梦想成真是一种美妙，梦想幻灭，也不过是另一次清醒罢了。

星期五下午，天空中的毛毛细雨渐渐变大，我的感冒也一并加剧，130抽的面巾纸在电脑桌前陪着我。

这封信要怎么写才好呢？

原来写信是一件如此困难的事情。在文字的白话浅显与华丽谨慎之间的拿捏着实是件苦差事。使用太书面的语调写起来感觉太过刻意，太过于白话的方式又觉得有失准确，一直不能很适当地处理。

7点整，终于完成信件的草稿，随即，我就像是完成前线军情报告的军人终于可以瞑目一样，因为感冒药效的发作而趴了下去……

7点43分醒来，右脚的麻木迫使我坐在书桌前慢慢恢复知觉，还在下雨，但是一定得出门，不然文具店就要关门了。

夜里的风有点冷，雨像是累了一样无声地下着。

找了两家文具店才找到我要的信纸，淡紫色的基调加上薰衣草图案，就像紫衣女孩那样优雅而安稳的氛围。

回到家，我将先前记录在网络日志上的关于紫衣女孩的文章，全部打印下来，从头到尾一次又一次地看过，再将刚才在电脑上完成的草稿抄到信纸上。

紫衣女孩：

不知道我将这封信交给你的当天，你会不会是穿紫色外套。不过，是不是都无所谓，这只是我很武断地用来称呼你的名称，希望你不要介意。

这封信可能会有点长，但愿你能花点时间看完它。

我记得第一次遇见你是在我大二的时候，在活动中心二楼，全家便利商店门口的绿色栏杆旁，你在那里看着楼下的活动（当然，活动是什么我已经忘了）。这样的陌生人天天都会看见吧，所以那时候我也就没费什么心思去注意。

在同一个学期，以同样的课表进行的生活之中，总会在熟悉的时间地点遇见熟悉的陌生人。也许是课堂上、吃饭时，或是下课回家的路上，这样的陌生人天天都会看到，彼此并不认识，也许彼此知道，但也没什么好去留意的。

跟你的巧遇都只有在活动中心二楼，你在那里，也许是看着一楼的活动，也许是看着二楼的展览。静静地一个人，我渐渐觉得好奇了，也因为时常都见到你穿着紫色的外衣，所以我开始私自称呼你为"紫衣女孩"。

日子一天天过去，学期更迭，在课堂上从未见过你。

不同的学期有不同的时间表，一样的陌生人不会再遇到也是正常的，可是很奇怪的是，从大二的那个学期开始，大三之后我还是会遇见你，不论是在活动中心或是出版中心，你总是一个人，被静静的氛围围绕着。

而在我大三的这个学期，你的脚受伤了，那一阵子看到你都是一跛一跛的，偶尔会有个男生陪在你身边。

转眼间我已经大四了，然而巧遇竟然继续发生，发生在令人意外的地方！在头桥，在民雄。渐渐地，在我到出版中心去的时候，总是期待可以在那里看到你。

大四上学期快要结束了，对于你，除了巧遇之外，只有一次偶然的机会，在循迹那天（也许你不记得了），知道了你的姓名和院系，除此之外，我几乎一无所知，连你的声音都不太有印象。

这学期我一直在犹豫是不是要主动认识你，因为害怕，所以我一直裹足不前，这次则是跟朋友聊过之后，下定决心了！

在大四上学期快要结束之前，我决定主动认识你。因为我真的不知道巧遇这种东西还会不会出现在我的最后一个学期，而我真的不想留下这个遗憾。虽然回忆可以很美，但是我想增加一些元素进去……

这样的冒进会产生什么后果实在不是我可以预料的，但是我已经

做好各种回应的心理准备了，为了不要有遗憾……

很抱歉占用了你的时间看这么长的一封信，不知道你有什么感觉，也许有点莫名其妙吧？不过我总算可以对自己松一口气了。

我想认识你，但是交朋友当然是双方面的事情，不是一个人可以做主的。怀抱着这样期待的心情在写这封信，对我来说是个好的开始，希望能跟你成为朋友……

信终于要结束了，剩下的就是我的勇气了！这最困难的一步，希望我做得到。

PS：附件是我曾经在网络日志上写下的关于你的文章。

最后，我留下了自己的联络方式。

我合上笔盖，"咔"的一声在宁静的空间中响起，像是齿轮确实往前进了一格似的。信写完之后，重看了一次，从网络日志上印下来的文章也再看了一次。

拿出信封研究了一下信要怎么折才能顺利放进去。最后的决定是分成两封，不然信封一定会像过胖的人把衬衫扣子挤掉那样被摧毁。决定折法以及信件分配之后，又把信件和附件从头到尾再看了一次。

将信件和附件折好，放进信封之中，信封看起来有八分饱；抽出信件和附件，打开了胶水盖子，在要封口之前，又将信件和附件看了一次。

用胶水封住之后，想再看也没办法了……

雨到底什么时候会停已经逐渐不去管了，有一种这个世界本来就是天天下雨才算正常的感觉。

在这样湿湿冷冷的天气之下，我将信件小心翼翼地随身携带，天天坐在学校出版中心里看小说，等待紫衣女孩的出现。

在书柜之间闲逛，坐下来看书，但是心思总是放在自动门和楼梯那边，根本不可能专心在书本上。虽然一再地失望，但是每个闪现的身影还是让我无法不抬头去注意，就怕一丝的忽略造成捶胸顿足的遗憾。

不知不觉间一星期过去了，虽然星期六不是预期可以见到她的日子，但我还是决定继续去出版中心守株待兔。

出门之前，我闭上眼睛，让紫衣女孩的影像静悄悄地填满脑海。

雨在昨晚停了，天空中出现了久违的阳光，简直就像是象征希望的背景，这会是冥冥之中的呼应吗？

我怀着期待的心情缓缓走向出版中心，虽然有意识地用深呼吸试图去控制心跳，但还是可以确实地感受到紧张的一切症状：心跳加快，呼吸急促，微微发抖。

从出版中心的二楼走上三楼，这十几阶的阶梯将我的心跳速率一起向上拉升！一步、两步、三步……三楼的景象逐渐映入眼帘。

第一桌，紫色衣服！是她！窗外是雨后的太阳，这里是渐渐浮现的希望，简直是艺术性地呈现！

坚定地走完阶梯，看见那紫色的衣服，微微遮住侧脸的长发。我的呼吸简直就要停止了！一上到三楼，我头也不回地快步走到外面！

我使尽了方法要自己别紧张，在经过一阵子的调适之后，才走进出版中心。

"加油！最后一次深呼吸，然后直线走过去！"我对自己说。

"好！"我深深地呼吸了一次之后，对自己回应了一个字。

随着距离的缩短，我的心又不听使唤地快速跳起，终于走到离她大约1米的地方了！没有看她，脚步没有停下来，我绕了一圈之后又回到原地。

"不行不行！我快要窒息了！"这才发现我的声音和手都在发抖，连呼吸都在发抖。

深呼吸，深呼吸，深呼吸，好！走吧！

这次没有迟疑了，我顺利地到达，保持适当的距离，左手将两封信件藏在外套之中，右手以非常镇定的力道与速度拍了拍她的左臂。

"同学……"

嗯！我的声音没有发抖，很好。

我的左手将怀中的信件慢慢拿了出来，她也转过头来了……

信件就要从怀中拿出来时，她也转过头来了！

"啊！不……不……不好意思……"

不是紫衣女孩！不是紫衣女孩！天啊！这辈子还没这么尴尬过。我连道歉都很草率之后就急急忙忙地逃离了现场……

竟然认错人了！天啊！好想死啊！我整个人就像绷得过了头的橡皮筋一样，瞬间瘫软，全身无力。

我在原地纳闷，为什么会认错呢？为什么呢？

我走到第三桌去，决定坐在这里，在离那位被我认错的同学一桌之外的地方好好地把这件事情弄清楚。

首先，头发的卷度很像，但是长度不一样（而且有点明显的差距）；紫色衣服的色调一样，但是紫衣女孩的是外套，眼前这位同学的是上衣。而我在上楼梯时的那一瞥，完全被那相似性给骗了，真是要命！

拿出笔记本，用自动铅笔写了道歉的文字，将纸条撕下来之后走到那位同学的面前交给她。

非常不好意思，你和我在找的一个女生有点像，所以我刚刚认错人了，真的是非常抱歉。

大概是这样的内容。

我回到座位坐下之后，她好像已经看完纸条又将视线转移回原来的作业上了。看纸条前和看纸条后都一样不怎么高兴的表情，我的罪恶感又加重了……

我在那里继续看自己带来的《当尼采哭泣》，等着紫衣女孩。那位

同学不知道什么时候已经离开了。

"我们要休息喽！"

6点钟一到，出版中心的工作人员从柜台发出这样的通知。

还在出版中心内的人（当然包括我）各自收起东西，慢慢地离开出版中心。

天已经黑了，我从活动中心二楼望着闪烁着波光的朱雀湖。

今天没有等到紫衣女孩，而是做了一个心境上百分之百逼真的模拟测验！但是我还是没办法确定，在我真正面对紫衣女孩的时候，是不是可以不那么紧张。

星期天上午9点半，好久不见的亮眼阳光，我在学校的全家便利商店解决了早餐，"面包加热饮打八折"，听起来简直像是什么欢乐音乐的开头似的。

活动中心内没什么人，一对情侣走过全家便利商店门口，女生穿着短裙，男生搂着女生的腰。充满活力的年轻情侣，和灿烂的阳光一样耀眼。

出版中心10点开门，我从二楼上到三楼，这次没有遇到让人错乱的紫色衣服了。

我和前几天一样，在第三桌，面对门口的方向坐了下来。

从战略位置来看，这里是攻守俱佳的地点！

　　楼梯在我的左手边，我可以先看见上来的每一个人；门口在我的右前方，我可以对每个进来的人做充分地确认。紫衣女孩总不可能从楼梯与门口以外的地方进入出版中心吧！

　　虽然在我的心中，紫衣女孩和猫一样神秘优雅，不过我相信她应该不至于具有"穿墙术"这样的特异功能，或者是结交了一个拥有任意门的朋友才是。

　　"Perfect！完美之极！"对自己认可之后，我继续看着小说，等待着紫衣女孩。

　　今天的等待依然是意料中的落了空，而我对每一个穿着紫色上衣的人总是会忍不住多看几眼，好像看久一点对方就会变成紫衣女孩似的。

　　今天穿着紫色衣服的人从 8 岁到 38 岁都有，我嘴巴紧闭、眉头微皱地看着每一个穿着紫色衣服的人，没有一个是紫衣女孩。这之间只有一个穿着紫色上衣的男性，我没有多看他一眼。

　　当然那些不是穿紫色上衣的女孩们我多少还是会去留意一下，出现而没看到可是比认错还要令人捶胸顿足的吧！

　　"不好意思，我们要休息喽！"

　　6 点了，今天也没有等到紫衣女孩。

　　天气一天比一天好，整个世界都充满了希望的感觉。几片薄薄的

白云像是悠闲漫步一般飘荡在天空中，我的心境却不那么轻松。

一天又一天地等待，一天又一天地失望，甚至是把信给错人，再这样下去，究竟哪天可以等到紫衣女孩呢？

也在这段期间内，让我开始思考：该怎么把信件拿给紫衣女孩呢？

A模式：如果她是在书柜旁，就等她周围没什么人的时候再拿给她，以避免不必要的尴尬。

B模式：如果她是坐在书桌前，那就去跟她坐在同一桌，缓和一下心境之后再拿信给她。

C模式：如果她坐在书桌前，同桌已经有其他人，那只好等待她离开的时候再交给她。

D模式：如果她今天没去出版中心呢？这个应对方式最简单，改天再说。

在脑中沙盘推演过千万遍，到底会发生什么情况？其实我最担心的是，最后的那一刻不敢出手，那就前功尽弃，信都可以自己吃掉了。

"加油！交出去就是了，其他的不用想了！""这可能是你最后一次机会了，加油啊！""你要遗憾一辈子好拿来说故事吗？""拿出你的诚意就对了，其他的就不必担心了，不管怎样，做朋友的都会支持你的！"

一步一步接近出版中心，脑中响起朋友说过的每一句话和自我鼓励的话，出版中心的玻璃自动门，在眼前缓缓滑开。

心跳明显开始加速，呼吸也开始不听使唤，必须要很费心力地去控制呼吸的深浅，原来呼吸是可以挑战意志力的。

A模式！今天紫衣女孩在书柜旁，紫色外套、白上衣、牛仔裤与帆布鞋，还有一条闪烁的项链。

我在书柜旁的长椅坐下来，看着《村上收音机》，虽然是很轻松的作品，我的心情却一点也轻松不起来。什么时候走上前呢？越想越紧张。就在我决定站起来走到她身边的时候，她突然移动脚步，走到角落的书柜去了。

隔着两个书柜，继续忐忑了几分钟，就在她身边没有其他人之后，我想是时候了，于是深呼吸了一口气，迈开脚步！

怎么搞的？她也离开原地了，难道她要离开出版中心了？这不在预想的模式之中啊！怎么办？怎么办？硬着头皮在出版中心外交给她吗？

就在我不知所措的当下，她走向书桌那边去了，她在那边坐了下来，同桌没有其他人，好样的，现在变成B模式了。

我终于鼓起了勇气走过去，坐在她的斜对面，就像平常陌生人共享一张书桌那样。她抬起头看了我一下，没有什么反应地将注意力移回到自己的书本上。她知道我们常见到面吗？记得在循迹见过面吗？从她的反应之中我分辨不出来。

　　不到两米的距离，我感觉到心跳又加速了，而且更加强烈，连眉心都隐隐颤动了起来，呼吸也是非常非常小心地控制着。

　　本来是打算借由这样的过程，降低自己紧张的程度，也就是希望在信交出去之前，能够尽量使心情平静到跟平常差不多的程度。然而却是徒劳无功，我的紧张只是有增无减，心跳、呼吸、颤抖，都只有越来越失控的趋势！

　　终于我像即将要做下人生什么重大决定似的深深地吸了一口气，缓缓地吐出来，抽出刚才夹在书中的两封信。

　　"同学，不好意思……"将信件移出去的手终于没有发抖了。

　　她的脸上露出了被陌生人叫住的疑惑与错愕，但我没有看见她的下一个表情，放下信之后，就拿起侧背包，匆匆地离开了出版中心，没有回头。

　　走往校门口的路上，全身还是紧绷，心也还是激烈地跳着，大口大口地呼吸也起不了什么缓和的作用，必须找个方法，让全身奔流的肾上腺素减少才行。

　　骑着车到了体育馆的健身房，像平常那样做完一轮热身运动，深深地吸气，吐气的时候仔细且缓慢地去感受肌肉的收缩；今天的肌肉延展特别有感觉，大概是刚才全身肌肉都绷得紧紧的，现在终于被解放了吧！

　　半小时过去，心脏终于肯乖乖地安稳下来，呼吸也回到了平常的平静。

走出体育馆，有种心情与天气相呼应的轻松感受，心中的大石头放了下来，新鲜空气总算可以流通了。

离开体育馆的时候，我拿出手机来看，有一个未接来电。

失去联系一个月之后，小佳终于打电话来了……

不寄出的信（9）

阿曦：

这是最后一封写给你的信了，在这封信最后的署名之后，我就不会再写信给你了，应该要让你完全从我生命中离开了，就像在分手桥上约定的那样。

最近我把自己封闭起来，完全没去学校，也没和任何人联络。

虽然让人心烦的雨不停地下，我还是自己骑着摩托车，把我所能想到的我们去过的地方都去看了一遍。

每到一个地方，我就在那里想着以前我们一起拥有的回忆，我使尽所有力气去想，像是要把整个大脑都翻过来。直到再也挤不出回忆之后，我就发动引擎前往下一个地方。几天下来，我发现我们还真去过不少地方啊（笑）。

在几个地方我静静地哭了一阵子。

　　这样做是为了把回忆全部忘掉，就像在长年居住的房子里去收集角落里的东西一样，细心地花时间去做，一件都不漏地全都收集起来，然后全部丢弃。

　　留着这些我想是没有必要的，虽然多少有点狠，不过这是我的人生，我得要自己走下去。现在这个阶段，我想有必要清掉一些东西，让空气流通，可以放得下新的东西。

　　我确实喜欢上他了，在他说出筱语（跟你提过的我们班那个很神秘的女生）的事情时，我才猛然惊觉"我已经喜欢上他"的事实。他和你是不一样的，已经完全没有模糊了，他不是你的替代物或是类似过渡性质的东西，我喜欢上的是那个原本的他。

　　除了相处的时候非常开心自在之外，虽然他没有你身上会散发出来的那种颓废与热情混合的气息，但是他有一种不可思议的毅力，没有明确目标却还能坚持的毅力。可能只是单纯为了生活本身，或是为了更无形的某种存在，那东西也许连他自己都说不清楚吧！

　　而那个对我产生了吸引力，一种混杂着浓浓好奇的吸引力……

　　没有具体事例可说明的事物反而更难辩驳，你能理解吗？

　　总之，我已经把旧的、该丢弃的东西都丢弃了，已经有空间容纳新的事物了，我一样会用我的直接与热情去尝试取得我想要的东西。

这部分你一直都了解，也就不用再多说了。

久违的阳光终于露脸，我决定开始好好地过属于我的生活了，希望你也过得很好。永别了，阿曦。

小佳

Chapter 10　正从云隙间将温暖投射过来

两天之后，小佳和我在循迹吃饭。

"你和阿曦，谈得怎么样了？"我说。

"什么意思？"

"你不是说要去解决一些你和他的事情，不是因为他回来了吗？"

她笑着说："我不是说他移民不会再回来了吗？"

"我想说不定有什么变化啊，突然又要回台湾住了之类的。"

"没有，他没有回来。"她说。

"那这一个月你去哪里了？我都找不到你。"我说。

"一个人躲起来了。"她说。

"为什么？"

"有一些事情需要自己一个人想清楚。"

"什么事啊？如果找我一起帮忙想，不会比较快吗？"

小佳抬起头来直盯着我，我被那直视的视线弄得有些不舒服，小佳露出了微笑。

"也许找别人聊会有帮助，但是找你聊的话肯定没有，应该只会让我更错乱而已。"她说。

"什么啊？听起来是瞧不起我喽。"

"我没这样说，你自己说的。"小佳露出了恶作剧的微笑。

"那你自己想到最后，想通了没？"

"想通啦，所以闭关结束，出关啦！"

"想通了什么？我可以知道吗？"我问。

"我可以知道吗？"小佳模仿我的口气说。

"这很难决定吗？"我说。

"这很难决定吗？"小佳重复我的话。

"干吗突然玩起回音游戏？"

"干吗突然玩起回音游戏？"

我看着小佳不说话，她一手托着下巴，也微笑地看着我不说话。

阿姨送来我们点的饮料。

"谢谢。"小佳说。

"谢谢。"我抓住这个时机，现在情势逆转了。

小佳从对面看着我，稍微歪着头笑笑地看着我。

"被你抓到时机了啊？"小佳说。

"被你抓到时机了啊？"我重复。

"你要一直学我说话吗？还是要先吃东西？"

"你要一直学我说话吗？还是要先吃东西？"

小佳点了点头，看我没有要放弃的意思，她似乎在想接下来要说什么。

"一个字都不能少啊。"小佳说。

"一个字都不能少啊。"我重复。

"川遥佳是我看过最漂亮的女生。"她思考了一下之后这么说。

"川遥佳是我看过最漂亮的女生。"她还真敢讲，我心想。

"川遥佳是漂亮又聪明的女生。"她微笑着说。

"川遥佳是漂亮又聪明的女生。"很明显，优势还是在她那边。

"和川遥佳相处是生活中最快乐的事情。"

"和川遥佳相处是生活中最快乐的事情。"天啊，接下去还有什么？

"那么，你喜欢我吗？"她说。

"那么，你喜欢我吗？"我反射性地回应。

"是的，我喜欢你。"小佳看着我，眼神丝毫没有闪烁地说。

"是的，我……"我愣在当场。

小佳挑了一下眉毛，喝了一口梅子绿茶。

"你输喽，没有一字不漏。"她说。

"等一下，你刚刚说的是……"

"就是你想知道的事情啊，这是我想了很久之后才决定说出来的事。"小佳说。

我倒抽了一口气，这……小佳的眼神没有移动。

"你……你是认真的吗？还是说，只是配合刚刚那个回音游戏随口说的？"

其实小佳的眼神已经说明了一切，我只是在问一个多余的问题。

"故意不让你找到的这个月，我一个人躲起来想了又想。

"在下雨的这段时间自己骑着车去了一些地方，也再坐上火车到了斗南，或是到台中，或是到嘉义，走出车站到外面看看，看着一辆一辆的客运离开那里，我试着想，如果和你一起乘客车回台中会是什么感觉？

"和你相处的这段时间里面，我确实习惯了阿曦已经不在了的事实，取而代之的是和你分开之后的失落感，那确实是对于你这个人所产生的，不是别人的，你能理解我的意思吗？我喜欢你，你知道吗？"

面对直截了当的表白，我顿时无言。

对于川遥佳，我不可能没有感觉，只是我一直无法确定她心中在

想什么，不确定在我身上的别人的影子是不是已经完全消失了。

虽然现在已经确定了，但是，就在前天，我亲手将信交给了紫衣女孩，准备亲手去验证自己心中的梦。

在这一瞬间，我无法去分辨自己的心中究竟希望哪个梦的结局是自己想要的。

沉默，不知过了多久。

"还是说，其实你喜欢的是筱语，紫衣女孩？"小佳先开口。

这不是三言两语可以说完的事情。

"小佳，"我开口，"我现在……不能回答你这个问题。"

我将写信给紫衣女孩的事情告诉了她。

"前天？"小佳将身体往椅背一靠，"那看来我是慢了一步喽！不过没关系，先等等吧，等她回信给你。"

"抱歉。"我说。

"这有什么好道歉的，笨蛋！你要喜欢谁是你的自由啊。在你回答我之前，我们还是像这样继续相处啊，这又不冲突，"她说，"难道，如果你无法给我我要的回应，我们就不能再当朋友了吗？你会这么现实吗？至少我不会。"

"我不会，至少还会是朋友啊。"

"那就好啦，担心什么！"小佳说。

小佳的笑容化解了原本应该会出现的尴尬，我们继续吃晚餐、聊天，慢慢地，气氛就像一个月前那样轻松自然了。

那年的最后一个月，我在等一个回应。有人也在等我的回应。

"今天请我吃饭，有什么好消息？"

门外是路人会缩起脖子走路、呵出白烟的冷天气，我和见羽在循迹吃着热腾腾、冒着白烟的麻油鸡火锅。

"我告白成功啦！"见羽说。

"真的？恭喜你啊！什么时候的事？"

"前几天。不过你知道的，其实相处的模式没差多少，只是，有没有说出那句话，有一种……跨越某条界线的感觉。"

"嗯，算是一种宣告吧，从暧昧到确定。"

"说起来，要是没有两个月前那次在球场的见面，大概到了今天，我在这里跟你聊的还是纯粹的哀叹吧，哪里都去不了、什么都没办法完成的哀叹。"

"所以是为了感谢我，请我吃饭？"

"正确。"

"不过主要的推手是川遥佳，不是我啊。"

"这个我知道，下次有机会再找她出来吃饭吧。你把信给了紫衣女孩，然后呢？"见羽问。

原来是要跟我聊小佳和紫衣女孩的事情，难怪要单独见面。

"然后就只能等她回信啦。"我说。

"那川遥佳那边怎么办？她不是也在等你回应吗？"

"是啊，这还真是这辈子第一次遇到，我都不知道要怎么处理。"

"你该不会……"见羽思考了一下开口，"是想要等紫衣女孩回信之后再决定吧，如果紫衣女孩拒绝了你，你就答应川遥佳；如果紫衣女孩答应了，就跟川遥佳说 NO。这样不行，把川遥佳当成备胎了。"

"等等，这个不是那么简单的事情。"我插嘴。

"那你的想法呢？"

"紫衣女孩那边，她绝对不可能回信就说：'好，我被你感动了，我们来交往吧！'不可能啊，顶多是说可以先认识当朋友看看，或者是说不想跟我认识。"

"跟她有没有男朋友无关。"见羽准确地插入一句我要说的。

"没错，拒绝是不需要理由的。"我说。

"那川遥佳呢？琪蓉有时候会问我，川遥佳和你在交往了吗？我和她刚认识的时候她就问过了，她以为你们是情侣，我跟她说不是的时候，她还挺惊讶的，后来就偶然想到的时候会好奇地问一下。"

"川遥佳……老实说，我对她并不是没有感觉，其实我也是喜欢她的，可是……一直以来，我都不知道她对我是怎么想的、是怎么看待我们之间的关系的。所以，即使我喜欢她，也一直只是把彼此看成是很好的朋友而已。"

"一样的问题。"见羽突然说。

"什么意思？"我纳闷。

"自己在心里面猜东猜西的，最后什么都没有解决啊！你想想，如果你和川遥佳早一点把彼此心里面的话说出来，岂不是皆大欢喜？

"紫衣女孩本来就是一场梦，到了最后，就算不去验证也没有关系吧，即使不知道梦会幻灭或是怎么样。但你和眼前的川遥佳是好好地掌握了彼此，这是真实的，不需要什么猜测和担心。"见羽说。

"问题是现在已经不是可以倒转回去的状况了，"我说，"如果我现在和川遥佳一拍即合地开始交往，那要怎么面对紫衣女孩的回信呢？如果她拒绝就罢了，但如果她答应要和我认识，在这样的情况之下知道我其实有女朋友，不是很奇怪吗？

"一个男生观察了一个女生这么久，最后决定跟她搭讪，谁都看得出来不会只是'纯粹想当朋友'啊。这样的情况之下，我不就变成一个骑驴找马的人了？

"另外，对川遥佳来讲，如果我现在答应她了，却又一边在等紫衣女孩的回信，不管紫衣女孩最后的回应是如何，至少在这种情况之下，对川遥佳来讲怎么样都说不过去吧。"

"所以那天川遥佳向你表白的时候，你说暂时还不能回应她，是这个意思吗？"见羽说。

"是的，没错。"我说。

"她知道你是这样想的吗？"

"我想她是知道的，她是一个聪明的女生，也不会小心眼。从那天之后，我们平常还是像好朋友那样的方式在相处，没有感觉到任何的不自在。"

"你把信给紫衣女孩到底多久了？我记得有一阵子了。"见羽问。

"11月最后一天给她的，到现在……"我在想已经过了多久。

"12月都快过去了，她还没回复你？"

"是啊，还没。"我说。

"是没有机会遇到还是怎么了？你有留联络方式吗？"

"我有啊，不过她没打电话来，短信也没有，E-mail、MSN也统统没有。"我说，"不过在学校是有见过面。"

"那她没回信给你？还是你又紧张得消失了踪影，她要把信给你也追不上？"

"没那么夸张啦！后来有几次在学校出版中心还是有见到面，感觉比较自在一点了，彼此会点头微笑。我每次都在想说她是不是要拿信给我了？不过每一次都失望了，除了点头微笑之外，没有别的。"

"你没直接问她？"见羽说。

"怎么问？'紫衣女孩，你什么时候要给我回信？我等好久了！'这样吗？感觉不太礼貌吧。"

"也是啦，不过也许可以想想看别的方式吧，这样一直等要等到什么时候？"

"看她喽，等她想清楚怎么回信再说吧，也许她有事在忙，没办法立即回复啊。这样比较好，至少她不是随便回复，是想要等到想清楚了再回复。"我说。

"你也太贴心了吧，理由都帮她想好了。"见羽说。

"我不急，川遥佳也不急，没关系啊。"

"也是啦，反而是我这个局外人在旁边替你着急。话说回来，我要跟你说声抱歉。"

"抱歉？为什么？"我问。

"在你写信给紫衣女孩之前，是我鼓励你的啊。那时候因为我刚和琪蓉在交往的关系，有点被热情冲昏头了，推了你最后一把。如果不是我敲边鼓的话，也许你不会行动，现在也就不会这么复杂了吧。"见羽说。

"这不能怪你，再怎么说都是我自己心境的问题啊。

"不管做了什么决定、实行了什么行动，应该都是我要自己负起全责的，你那时候是好意，没有什么该被责备的。"我说。

门口的风铃声响起，冷空气从推开的门缝灌了进来，突然想到新的一年就要到来，接着是寒假，在大学的最后一个寒假，然后最后一个学期就要开始了。

"你什么时候回台中？"我问。

"还不确定，会和琪蓉一起回去，所以要再和她讨论一下时间。你呢？"

"应该是会和川遥佳一起回去，时间也还没确定。"

"那寒假的时候再约出来一起吃个饭吧，请她吃饭谢谢她喽！"

"好像 Double date（对对碰，两对男女一起约会）一样。"

"确实是。"

虽然时序上已经进入了新的一年，不过天气却是延续着去年年底的寒冷，新的寒流带来了更多冬天的气息。

今天中午，结束了最后一次上课，吃过午餐之后我到出版中心，一进去就看见紫衣女孩，她坐在上次我拿信给她的地方。

她好像早就在那里等着了似的，离开座位，微笑着向我走来，打了声招呼之后，她从包包里拿出了信给我，薄薄的信。

她只说了声再见，与我擦身而过，离开出版中心。

我没有转头去叫住她，只是站在原地，看着手中那封薄薄的信，她要说的话，应该都在信里面了……

看完了信的第一页，回忆在脑中不知道盘旋了多久，很多事情和感觉交织在一起，无法说清楚。

我有些失落，却同时又为这失落感到罪恶，总觉得那是不需要的。

明天就要和小佳一起坐车回台中了，她从来没有问过我紫衣女孩回信了没，只是一如往常地相处，逐渐让我有一种"她向我表白会不会只是我的一时错觉"的想法。

终于，我慢慢回到现实，翻到信纸的第二页。

还有，你别把我想得那么好啦！

看了你的信件跟文章，你笔下（或说你想象中）的那个我，是一个巧致的女孩。但是，你所说的那种文静冷漠的氛围，我想每个人独处的时候大抵上都是这样的吧。

我没你想象中的那么特别，只是一个平凡的女孩子而已。真的！我其实是一个爱耍小脾气、粗线条又任性的普通女生，你真的想认识我吗？

对我来说，我是想要认识你的。

其实我也知道你，就像你对我的印象那样，为什么总是在一样的地方遇见你呢？我是在大三上学期开始注意到你，我本来以为你是故意的，但是后来发现真的只是巧合而已。就因为这样的缘分，我想，互相认识做个朋友应该是OK的吧？

对你，我也有我的幻想和好奇，至于是怎么样的想象，如果我们有机会认识的话，再说给你听吧！

我的回信有点晚，抱歉，因为我思考了很久，思考着应该怎么给

你回信、怎么和你说明，没想到日子就这样一天一天拖过去了。天气渐渐变冷，期末考也逐渐逼近，后来我又生了一场病，直到最近终于能够写信给你。

真的很不好意思，不过请你相信这样是好的，因为随着我们见面的次数越多，该怎么写信给你的感觉就愈加确实。

看了你的网络日志，我会到出版中心去等你的。把信给你之后，我就要回台南了，所以，等你看完信之后，我们要能见面应该是寒假过后了。

先祝你新年快乐！

历史　刘筱语

在我看这封信的同时，也许紫衣女孩已经回到台南了，寒假之后，我会和她见面吗？

我留了手机号码给她，也留了MSN，先前她一直没和我联络，之后会吗？

我要给小佳回应了，我应该怎么样调整我的心态呢？怎么给小佳回应？怎么和紫衣女孩认识、相处？

被寒流冻住的脑袋实在无法好好思考，我将信件折好收进信封，关上灯之后到床上去躺着。

"什么都别管，先睡觉吧，黑暗会带来负面的思考，天亮之后也许自然就有答案了。"我对自己说。

　　和小佳从民雄车站搭上公交车，寒流带来的低温让太阳看起来好像装饰品一样。到了嘉义车站之后，我们先去旁边的 7-11 买了热热的关东煮来吃，并排坐在候车室里的长椅上，看着来来往往的旅客。

　　"好冷，还好有热汤可以喝。"小佳说，双手捧着装关东煮的容器。

　　"嗯，冬天就是寒流一波接着一波来，没完没了。"我说。

　　"寒假在台中可以见面吗？"

　　"当然可以啊，见羽上次还跟我说要请你吃饭呢！"

　　"啊，是要感谢我促成他和琪蓉的认识吗？"

　　"对啊，他们已经在交往啦。"

　　"真的？"

　　"我还以为你知道呢。"

　　"我是没有直接问过琪蓉，不过和我猜的一样。"她笑着说。

　　我一直觉得火车站是一个非常特别的场所，在候车室里，有许多人进来，也有许多人离开。大家从不同的地方聚集到这里来，或是从这里各自前往到不同的地方去。

　　在这里相遇就是一种缘分，非常短暂，说不定我们和某个擦身而过的人一辈子就这么一次见面的机会也说不定。

没有打招呼，也没有说再见，忘记别人，被别人忘记。

如果有个谁先开口说了声"嗨"，也许一切就不一样了，但那必须要在机会消失之前，好好把握住才行。

"有件事情，要跟你说。"我说。

"什么事？"小佳转过来看着我。

"紫衣……筱语，她回信给我了。"我看着小佳说。

她没有回话，依然看着我，等我继续说完。

"她回了什么不重要，重要的是她回信了，所以，我要跟你说出当天没说的回答了，"我停顿了一下，"小佳，我也喜欢你，你……愿意和我交往吗？"

小佳的视线转向旁边，深深地吸了一口气，然后像是从空气中收集了足够的信息之后，转过来看着我微笑。

"该不会是……你心中那梦幻的紫衣女孩拒绝你了，所以你才这样回答的吧？"小佳说。

"不是这样的！"我说，"我刚刚说了，她回应了什么不重要，重要的是她回应了。其实你跟我说的那一天我就想直接回答你了，但是那时候的状况是……我已经把信给她了，在她回信之前，不管我怎么回应你，都不对啊！你能明白我的意思吗？"

"别激动，"她微笑，"我懂你的意思。不然那天我为什么没要你马上回答？这段时间以来，已经一个多月了，我完全没有问你拿到回信了没，不是吗？”

“所以你刚刚是故意那样讲的……”我中计了。

“对啊，你也太容易就被挑动了吧，像我这么聪明的女生，考虑一下要不要和你交往好了。”

小佳说完，把我手上的关东煮空碗和竹签拿去丢了。

“走吧，要去客运那边买票了。”小佳说。

我提着我的行李，和平常要回台中差不了多少的分量，另一手帮小佳拖着她的行李箱。

“你带了什么回台中啊？可以用到这么大的行李箱？还好有轮子，不然手一定脱白。”我说。

“女生的行李像我这样算少的了，你现在是在抱怨吗？”小佳说。

“不是那个意思……”

“那就好啦，走吧！”

不等我把话讲完，小佳就往前走了，我赶紧拖着行李追上她。

坐在靠窗的位置，我睡着了不知多久之后醒来，在我身旁的小佳依然在睡梦中。

客运巴士缓缓地前进。

手机传来震动，我从外套口袋里将手机拿出来，看了一下来电者……正在犹豫要不要接起电话的时候，因为车子向右转的关系，

小佳的头靠在我的肩膀上，我看着她宁静的睡脸，决定到站了再叫醒她。

我握着微微震动的手机，看着窗外，冬季的阳光正从云隙间将温暖投射过来……

全文完

后　记

　　自从处女作《分手桥的约会》出版之后，身边朋友的回应还算一致：
"真不像你会写的东西。"换句话说，也就是一致地认为小说和我这个
人给人的印象很不一致。

　　说老实话，我为这样的评论窃喜。

　　《爱上一个影子，好寂寞》在《分手桥的约会》之前几年就动笔了，
两者的空间背景相同、时间相同，故事内容则是完全独立，只有一个
我非常喜欢的角色重复登场而已。

　　我本来以为《爱上一个影子，好寂寞》会是我的处女作，不过由
于那是我亲身经历的事情改编而成，而数年前，我在将现实生活转换

成小说的技巧方面是相当缺乏的，如今有幸能让它从原来的"硬盘"里面重见天日，相当开心。

《爱上一个影子，好寂寞》的写作采取极端的第一人称，极端到主角没有姓名，连外号都没有。这么做当然完全是故意设计的，为了向我最喜爱的作家村上春树致敬（就是这个动词让我有被骂不要脸的心理准备，哈），这是相当有趣的挑战，我做到了。

另外，"索尔"这个角色的出现和消失，几乎没有逻辑可言。这是类似于村上春树的《海边的卡夫卡》中那位"乌鸦"的功能，简单说就是"Soul"，是主角的自我对话。

虽然内文中我做了一句暗示，不过还是在后记补充说明一下。《爱上一个影子，好寂寞》书中的紫衣女孩……也许这辈子都不会再见面了吧，连我出了这本小说她应该也不会知道，这想起来……总不知为什么脑海中会浮现樱花漫天飞舞的景象……

我的现实生活算不上是快乐的，但总会在瞥见书架上那本自己创作的小说时，获得一点小小的快乐。

现在这是第二本了，我希望能在现实的泥淖之中继续写下去。

读研究生所烦恼的事情很多（话说回来，不管什么生活好像都是这样），其中之一就是论文写作时，为了学术交流、尊重原著、避免剽窃嫌疑……各种原因，而产生的学术引用格式，连引用自己发表过的论文也要遵守！

然而这里是我的小说、我的后记，我坚持要有我的任性！在结束之前，几乎完全抄袭《分手桥的约会》后记中的最后一段：

从第一页看到这里的读者们，感谢你们，虽然我不是名家，这也不是大作，不过终究希望这故事能带给你们一点有趣的something else（有些不一样的东西）。